GUIA PRÁTICO ANTI MACHISMO

RUTH MANUS
GUIA PRÁTICO ANTI MACHISMO

Para pessoas de todos os gêneros

SEXTANTE

Copyright © 2022 por Ruth Manus
Todos os direitos reservados. Nenhuma parte deste livro
pode ser utilizada ou reproduzida sob quaisquer meios existentes
sem autorização por escrito dos editores.

edição: Nana Vaz de Castro
produção editorial: Guilherme Bernardo
revisão: Ana Grillo e Sheila Louzada
capa, projeto gráfico e diagramação: Natali Nabekura
impressão e acabamento: Bartira Gráfica

CIP-BRASIL. CATALOGAÇÃO NA PUBLICAÇÃO
SINDICATO NACIONAL DOS EDITORES DE LIVROS, RJ

M253g

    Manus, Ruth, 1988-
        Guia prático antimachismo / Ruth Manus. - 1. ed. - Rio de
Janeiro : Sextante, 2022.
        144 p. ; 18 cm.

        Inclui bibliografia
        ISBN 978-65-5564-294-0

        1. Feminismo. 2. Machismo. 3. Teoria feminista. I. Título.

21-75181   CDD: 305.4201
                                           CDU: 141.72

Meri Gleice Rodrigues de Souza - Bibliotecária - CRB-7/6439

Todos os direitos reservados, no Brasil, por
GMT Editores Ltda.
Rua Voluntários da Pátria, 45 – Gr. 1.404 – Botafogo
22270-000 – Rio de Janeiro – RJ
Tel.: (21) 2538-4100 – Fax: (21) 2286-9244
E-mail: atendimento@sextante.com.br
www.sextante.com.br

Para o Léo, por sua amizade, que se confunde com a minha própria existência, por sua presença invariável, por moldar tanto da minha personalidade e por me apresentar uma das melhores versões da masculinidade que eu já vi.

I'm on the right track, baby, I was born this way.

NOTA

Perdi meu pai cerca de um mês antes do lançamento deste livro. Foi no dia 25 de dezembro, de repente, e eu não fui capaz de salvá-lo. Meu pai era meu sócio, meu companheiro, meu amigo. Instalou-se dentro de mim um vazio muito difícil de explicar.

Pedi à editora para rever o livro porque muitas vezes falo sobre ele nestas páginas. Às vezes critico, às vezes aplaudo. Me perguntei se deveria remover as críticas. Me perguntei se precisava mudar o tempo verbal para falar dele. Mas decidi não mexer em nada. Não estou pronta – acho que nunca estarei. E, acima disso, acho que ele gostaria que eu mantivesse tudo do jeito que está.

Ele estará presente nestas páginas porque ele está presente em mim. E isso nunca vai mudar. Não consegui salvar meu pai da sua crise de asma. Mas acho que estas páginas são capazes de salvar outros homens de males igualmente graves, que contaminam existências, lares e famílias. E sei que meu pai vai gostar muito de trabalhar nesse resgate comigo.

Seguimos trabalhando juntos. Te amo, Pê. Obrigada por tudo.

— Ruth

SUMÁRIO

11 8 spoilers que eu preciso dar antes de você começar esta leitura

17 *"O mundo já não é mais tão machista assim... As coisas estão melhorando. Né?"*
O FAMOSO PATRIARCADO

25 *"Homem que é homem não chora nem faz exame de próstata."*
MASCULINIDADE TÓXICA

37 *"Eu não posso mais nem fazer uma piada?"*
POLITICAMENTE INCORRETO

46 *"Isso é mimimi. A empresa onde eu trabalho tem muitas, muitíssimas mulheres."*
DIVERSIDADE E REPRESENTATIVIDADE

53 *"Será que o problema mora mesmo tão longe?"*
VIOLÊNCIA CONTRA A MULHER

61 *"Você é doida. Você fala demais. Você não sabe do que está falando."*
OUTRAS FORMAS DE VIOLÊNCIA VERBAL E PSICOLÓGICA

75 *"Essa aí não é mulher, é travesti."*
SEXO BIOLÓGICO, IDENTIDADE DE GÊNERO E ORIENTAÇÃO SEXUAL

87 *"Nem toda mulher..."*
ESTEREÓTIPOS DO FEMININO

95 *"O que as mulheres podem fazer?"*
SORORIDADE

105 *"Se fosse mulher feia tava tudo certo, mulher bonita mexe com meu coração."*
DITADURA DA BELEZA

114 *"Mas eu ajudo muito nas tarefas da casa."*
CARGA MENTAL E DIVISÃO DE TAREFAS

123 *"O que podem fazer os pais de meninas? E os pais de meninos?"*
PARENTALIDADE ANTIMACHISTA

133 Coisas que eu gostaria que você levasse deste livro

136 Agradecimentos

138 Bibliografia

142 Notas

8 SPOILERS QUE EU PRECISO DAR ANTES DE VOCÊ COMEÇAR ESTA LEITURA

1. Um livro contra o machismo não é um livro contra os homens

Este livro não pretende culpar ninguém. Este livro pretende identificar problemas da nossa sociedade, convidar os leitores (sejam eles homens ou mulheres) a pensar sobre eles e tentar buscar novos caminhos. Sim, é preciso que os homens mudem muitos comportamentos. Mas as mulheres também precisam fazer um trabalho de autoanálise bem profundo. Se organizar direitinho, todo mundo muda.

2. Este livro não destruirá o machismo que há dentro de você

Este livro é um guia prático. E assim como ninguém compra um guia de viagem de Buenos Aires achando que conhecerá a cidade com sua simples leitura, certamente nenhum de nós resolverá o próprio machismo interior com estas 144 páginas. Aqui nós tentamos identificar comportamentos, gatilhos e problemas. Depois, cabe a cada um de nós (inclusive a mim) refletir, fazer a autocrítica diária e seguir lendo mais, debatendo mais, refletindo mais.

3. Este livro não é um tratado profundo sobre o assunto

É um livro pequenininho, né, gente? A intenção dele é apenas começar a conversa. É por isso que no final de cada capítulo eu sugiro outras leituras, filmes para assistir, podcasts para escutar. Aliás, eu já tinha a ideia de escrever um livro antimachismo há alguns anos. Mas depois de ler o maravilhoso *Pequeno manual antirracista*, da minha querida amiga e colega Djamila Ribeiro (que participou do meu livro *Mulheres não são chatas, mulheres estão exaustas*), me dei conta de que era mais útil (e urgente) escrever algo simples e direto, em vez de um longo e profundo livro sobre o tema. Não tem jeito: não há tratamento milagroso para uma doença tão grave quanto o machismo. O tratamento é lento e pode dar bastante trabalho.

4. Eu também sou machista

Quando contei sobre o livro que estava escrevendo para o filho de um amigo, que tem 11 anos, ele me perguntou: "Mas pessoas que não são machistas também podem ler esse livro?" Eu achei uma gracinha a pergunta e a vontade dele de se afirmar como alguém que acredita na igualdade. Mas respondi: "Sabe, querido? Acho que todos nós somos pelo menos um pouco machistas. Assim como todos somos pelo menos um pouco racistas e homofóbicos. O mundo no qual vivemos é assim, então todos somos contaminados e, por isso, precisamos nos esforçar todos os dias para mudar."

5. O machismo é a água, nós somos os peixes do aquário

A primeira vez que ouvi essa frase foi quando entrevistei a atriz e comediante Júlia Rabello no meu podcast. E ela tem toda razão. Não adianta acharmos que somos desconstruídos ou que os machistas são os outros – somos todos atingidos. O primeiro passo é reconhecer que o problema existe e que todos nós precisamos mudar em alguma medida.

6. Este é um livro sobre a regra, não sobre as exceções

Enquanto escrevia este livro, reparei numa coisa muito interessante. Sempre que eu dizia a algum homem que estava escrevendo um livro sobre desconstrução do machismo, ouvia coisas como "Mas você tem que lembrar que nem todo homem é assim" ou "Mas você precisa escrever que há exceções". Então, gente, este é um livro sobre a regra, não sobre a exceção. E, acredite em mim, há muito mais de regra em todos nós do que de exceção. Peço ao leitor, especialmente ao leitor homem, que "baixe a guarda" para ler estas páginas. Se não nos perguntarmos "Será que eu sou assim?" ou "Será que eu faço isso?", a leitura pode ser uma perda de tempo.

7. Assumir o próprio machismo (e lutar contra ele) é um ato de coragem

Ninguém gosta da ideia de se assumir machista. Mas esse primeiro passo é absolutamente fundamental para que consigamos mexer com as nossas estruturas. Reconhecer que estamos impregnados pelo machismo não é uma vergonha. Vergonha é não se esforçar para mudar esse cenário. E se você está lendo este livro (que não pretende apontar o dedo na cara de ninguém, mas apenas abrir nossos olhos para muita coisa que costuma passar batida), você já se dispôs a tentar mudar – e isso é lindo.

8. "Desconstrução" é a nossa palavra-chave

Imaginemos uma enorme parede de peças de Lego dentro da nossa cabeça. Cada peça foi colocada ali em um momento da nossa vida. Quando vimos nossa mãe tirar a mesa enquanto nosso pai permanecia sentado, quando normalizamos o fato de quase todos os presidentes e primeiros-ministros do mundo serem homens, quando vimos o jornal falando sobre a roupa da vítima de um estupro ou sobre quanto álcool ela havia consumido, quando vimos filmes em que princesas precisam ser salvas por príncipes e mais uma quantidade imensurável de coisas desse tipo. A parede de Lego precisa parar de crescer. Mais do que isso: precisamos remover essas peças de machismo que estão dentro da gente, buscando todos os dias desconstruir essa parede. Lembrem-se: são peças de Lego, não são blocos de concreto fixados com cimento. Dá para remover as peças. Nem sempre é fácil. Mas dá para mudar.

Sejam muito bem-vindos. ☺

"O mundo já não é mais tão machista assim... As coisas estão melhorando. Né?"

O FAMOSO PATRIARCADO

Eu tenho muito medo dessa ideia de que "as coisas estão melhorando". Esse meu medo se deve a duas coisas: a primeira é uma minimização do tamanho do problema que ainda existe e a segunda é a ideia de que as coisas melhoraram por si mesmas, naturalmente. Porque isso não é verdade. Como eu mesma já escrevi num outro texto, não são as coisas que estão melhorando, somos nós que estamos lutando.

Situar a existência de um problema não é nada divertido. Ninguém gosta de problemas. Mas precisamos assumir: o mundo é machista, sim; o mundo é desigual, sim; as mulheres são exploradas, sim; os homens também são vítimas do machismo, sim. Precisamos partir disso para começar a tentar desatar esses nós que amarram a nossa sociedade e que não tornam a vida de ninguém melhor.

A palavra "patriarca" é definida pelo dicionário *Houaiss* como "o chefe da família". Como sabemos, o chefe da família, historicamente, era um homem. Portanto, a noção de sociedade patriarcal é aquela que gira em torno dos interesses da figura masculina, subordinando os interesses femininos ao poder conferido aos homens por essa estrutura social.

É importante dizer que quando falamos que estamos inseridos numa sociedade patriarcal, não se trata de uma opinião, mas de um fato. Estudos afirmam que já havia registros do patriarcado cerca de 3 mil anos antes de Cristo[1] – e que o fato de essa estrutura já existir há tanto tempo faz com que muitas mulheres acabem cooperando com a manutenção desse sistema, já que nem questionam o lugar que devem ocupar, por serem diariamente convencidas da sua posição de inferioridade. Ou seja, ninguém "inventou" essa história de sociedade patriarcal agora.

É claro que a intensidade da opressão feminina varia muito ao redor do mundo, em virtude de questões culturais, religiosas e, consequentemente, jurídicas também. Mas, independentemente de onde estejamos no globo terrestre, é inegável que vivemos em sociedades patriarcais.

Um exemplo bem claro e recente dessa questão no Brasil é o fato de que até muito recentemente o nosso Código Civil falava em "pátrio poder" dentro das relações familiares. Em outras palavras, o poder de decisão nas famílias pertencia ao pai. Era apenas na ausência da figura masculina que a mãe tinha o poder de decisão. Foi só em 2002 que a expressão "pátrio poder" foi substituída por "poder familiar", afirmando assim que a autoridade da mãe e a do pai são equivalentes no seio das famílias.

Gostaria de ressaltar que essa alteração da lei aconteceu há menos de duas décadas. Harry Potter é mais antigo do que a instituição do poder familiar no Brasil. É muito grave que tenhamos permanecido até 2002 com uma referência totalmente machista vigente em nosso ordenamento jurídico. Além disso, devemos pensar no fato de que uma mudança na lei não promove imediatamente a mudança da mentalidade da população. Ainda há muitos caminhos a percorrer.

Gosto muito de uma tirinha da Mafalda na qual um homem bate na porta da casa de sua família, ela abre e então ele diz: "Olá, menina, o chefe da família está?" Mafalda prontamente responde: "Nessa família não há chefes, somos uma cooperativa." Questionemos a sociedade patriarcal, como faz a Mafalda. Como dizem por aí, "Lute como uma garota".

O machismo não é um problema apenas para as mulheres. E isso será dito muitas vezes ao longo deste pequeno livro. O machismo oprime as mulheres, mas oprime os homens também. O machismo dita regras comportamentais muito rígidas para todos, independentemente do gênero. O machismo não aceita a diversidade, nem respeita nenhum tipo de existência que fuja ao estereótipo que ele prega como sendo o correto.

Tentar enfrentar o machismo é buscar um mundo no qual todos nós possamos nos sentir mais confortáveis e mais respeitados. Declarar-se "antimachista" é o ato de se colocar em frente à tal parede de Lego que mencionei nos spoilers sobre o livro (se você não leu, trate de voltar lá e conferir) e começar a tentar desencaixar peças, uma por uma.

Ser antimachista significa abraçar essa luta no seu dia a dia, mas também significa estar disposto a ajudar outras pessoas a desconstruírem o machismo que há dentro delas – e esse, definitivamente, é um grande desafio. Ser antimachista pode gerar desconforto, saias justas e outros aborrecimentos. Mas não tem jeito, mudar o mundo realmente dá trabalho.

Sonho com o dia em que não seja necessário explicar para as pessoas que feminismo não é o contrário de machismo, mas essa ainda é uma confusão muito frequente. O machismo prega a superioridade dos homens, enquanto o feminismo *não prega* a superioridade das mulheres, mas a luta por igualdade de gênero. São coisas muito diferentes.

Custo a crer que, sabendo que a luta feminista é pura e simplesmente a luta por justiça, alguém diga que não concorda com a causa. Custo a crer que alguém olhe para um menino e uma menina de 5 anos que estudam numa mesma sala de aula e diga que acha justo que no futuro a menina enfrente muito mais barreiras na sua vida profissional, receba salários mais baixos e seja a única responsável por todas as tarefas domésticas em sua casa no fim do dia. Se nós não achamos que isso seja correto e se desejamos que esse cenário mude, acredito que sejamos todos feministas.

O feminismo se baseia, essencialmente, em duas palavras: igualdade e liberdade. A liberdade, nesse caso, deve ser interpretada principalmente como a liberdade de escolha. Ou seja, o feminismo defende a ideia de que toda mulher deve ser livre para tomar suas próprias decisões.

Muita gente acha que o feminismo prega a ideia de que toda mulher tem que ser superindependente, investindo suas energias na carreira e não se sujeitando às pressões sociais de casar e ter filhos. Isso não é verdade. O feminismo defende o direito de cada mulher ser exatamente aquilo que ela tiver vontade.

Se uma mulher optar por não trabalhar fora de casa, dependendo financeiramente de outra pessoa, para se dedicar integralmente aos filhos e à casa, o feminismo ficará feliz com essa decisão, desde que tenha sido uma escolha da mulher e não uma imposição da lei, do marido ou da sociedade. Se outra mulher optar por nunca se casar e não ter filhos, o feminismo ficará igualmente feliz pelo exercício da sua liberdade.

Repito: o feminismo é a luta global por oportunidades iguais para pessoas de todos os gêneros e pela liberdade de escolha da mulher ao longo da sua vida, nos mais diversos assuntos. Qualquer pessoa que concorde com essas duas ideias concorda, basicamente, com a noção de feminismo.

Dentro do feminismo existem muitas correntes, o que é natural em qualquer movimento que lute por mudanças, já que há diversos caminhos possíveis. Algumas dessas vertentes são o feminismo neoliberal, o feminismo marxista, o feminismo radical, entre outras.

Existe também o feminismo interseccional, que prega a necessidade de levar todos os tipos de mulheres em consideração, para fazermos uma luta justa. Frequentemente, em debates feministas, só são levados em conta os problemas vividos por mulheres brancas privilegiadas (que são importantes e válidos, mas não podem ser tratados como os únicos que existem ou como os prioritários).

A ideia de interseccionalidade, que se originou dos debates do feminismo negro, representa a inclusão das questões que afetam as mulheres negras, as mulheres LGBTQIA+, as mulheres que vivem em regiões periféricas, as mulheres indígenas e tantas outras. Trata-se de olhar para as questões de gênero de uma maneira global e inclusiva, em vez de nos deixarmos guiar pelo individualismo.

As lutas feminista (pela igualdade e pela liberdade) e antimachista (pela identificação e o combate a estruturas e instituições injustas) são lutas constantes e que geram muito desgaste em quem as abraça. Mas trata-se de uma verdadeira escolha: diante da percepção de que o mundo é injusto, você opta por simplesmente anuir com isso ou por combater, um pouquinho a cada dia, essas injustiças.

Certa vez postei no meu Instagram algo curioso que aconteceu comigo. Meu pai me pediu ajuda para resgatar um eletrodoméstico com os pontos do cartão de crédito. Num dado momento, ele disse: "Olha, acho que esse mixer aqui é bom. É igual ao que a sua mãe tinha antes. Não. Espera. Isso foi machista. É igual ao que eu e sua mãe tínhamos antes." Fiquei muito contente com a identificação, o reconhecimento e a retratação dele, tudo em menos de 10 segundos.

E o fato de ver meu pai, com mais de 70 anos, se esforçando pra mudar só fez com que eu me sentisse mais motivada a também me corrigir a cada vez que digo uma bobagem, bem como a escrever cada vez mais e a seguir dando cabeçadas, comprando brigas e tentando mudar uma pequena frase por dia. Cansa, mas vale muito a pena.

Para saber mais sobre este assunto

- *Sejamos todos feministas*, Chimamanda Ngozi Adichie
- *O feminismo é para todo mundo*, bell hooks
- *Feminismo em comum*, Marcia Tiburi
- *Você já é feminista!*, Helena Bertho e Nana Queiroz (orgs.)
- *Feminismo: Um guia gráfico*, Cathia Jenainati e Judy Groves
- *O livro do feminismo*, Hannah McCann (org.)
- *Interseccionalidade*, Carla Akotirene
- *A criação do patriarcado*, Gerda Lerner
- *Quem tem medo do feminismo negro?*, Djamila Ribeiro

"Homem que é homem não chora nem faz exame de próstata."

MASCULINIDADE TÓXICA

Quando falamos em combate ao machismo, nem sempre é fácil fazer alguns homens entenderem que isso também é bom para eles. O machismo não defende os homens. Mais especificamente, o machismo não defende homens livres. Na realidade, o machismo trabalha com dois estereótipos muito limitados do masculino e do feminino. De forma muito básica: o homem precisa ser o famoso machão e a mulher precisa ser a famosa princesa.

Felizmente, todos nós somos seres complexos. Todos temos características masculinas e femininas misturadas na nossa personalidade – e é isso que nos faz tão interessantes. Pepeu Gomes já cantava que "ser um homem feminino/ não fere o meu lado masculino", reforçando a ideia de que todos somos compostos de ambos os gêneros, como no símbolo do yin-yang (todo bem tem um pouco de mal, todo mal tem um pouco de bem, assim como todo masculino tem um pouco de feminino e todo feminino tem um pouco de masculino). A convivência do masculino e do feminino em nossa personalidade em nada se confunde com a nossa orientação sexual.

Todavia, o machismo não aprova essa fluidez que existe em todos nós e, consequentemente, surge como agente repressor de qualquer comportamento que se desvie do roteiro machão-princesa. Combater o machismo significa buscar uma sociedade mais livre para sermos o que somos: homens que adoram cozinhar, mulheres que adoram futebol, homens que não ligam para carros, mulheres que não gostam de usar maquiagem – ou então homens que detestam cozinhar, mulheres que detestam futebol, homens que adoram carros e mulheres que adoram maquiagem.

Qualquer característica funciona, desde que cada um de nós seja livre para fazer suas escolhas e ter os seus gostos, livre de imposições sociais que nos obrigam a ser o que não somos. Para que essa liberdade exista de forma plena, nós precisamos lutar juntos – homens e mulheres – contra o machismo, que oprime a todos nós em alguma medida.

Homens não choram. Homens não abraçam outros homens. Homens não ficam deprimidos. Homens não têm medo de barata. De rato. De aranha. Homens não fazem bolos. Homens não ganham menos do que suas companheiras. Homens não colocam botox. Homens não usam antirrugas. Homens não se protegem do sol. Homens não fazem dieta. Homens não usam cor-de-rosa. Nem lilás. Nem amarelo clarinho. Homens não têm medo de altura. Nem de voar de avião. Nem de montanha-russa. Homens não têm disfunção erétil. Homens não perdem a vontade de transar nunca. Homens não precisam de apoio psicológico. Homens não se depilam. Homens não têm cabelo comprido. Homens não pintam o cabelo. Homens não são cabeleireiros. Homens não são professores de educação infantil. Homens não são babás. Homens não dizem que amam seus amigos. Nem dizem que amam o pai. Homens não ouvem Lady Gaga. Beyoncé. Rihanna. Jennifer Lopez. Madonna. Cher. Homens não sonham com um grande amor. Homens não sofrem em términos de relacionamento. Homens não bebem drinques enfeitados. Nem vinho rosé. Nem cerveja sem álcool. Homens não ficam uns tempos sem beber. Homens não usam brincos. Nem colares. Nem anéis. Homens não fazem a unha. Homens não vão ao podólogo. Homens não fazem cirurgia plástica. Homens não gostam de jardinagem. Homens não são vegetarianos. Homens não sonham em se casar. Homens não sonham com a paternidade. Homens não podem optar por priorizar a paternidade frente à carreira. Homens não morrem de medo de perder as pessoas que amam.

Tudo isso é machismo. Todas essas pequenas prisões cotidianas são frutos do machismo. Por isso, nunca é demais repetir: o machismo oprime as mulheres, mas também oprime – e muito – os homens. Um mundo com menos machismo é um mundo melhor para todos nós.

Se queremos mudar a dinâmica de um mundo machista, não podemos deixar de conversar sobre a masculinidade em si. Lembremos, antes de tudo, que o masculino está presente em todos nós, homens e mulheres, de qualquer orientação sexual. Falar sobre masculinidade é falar sobre a sociedade e não só sobre o comportamento dos homens heterossexuais, como muitos pensam.

Há algum tempo, começou-se a utilizar a expressão "masculinidade tóxica" para designar a forma muito pouco saudável como a nossa sociedade lida com a masculinidade. O estereótipo do machão, que mencionamos no começo deste capítulo, pode ser uma boa síntese disso. O machão fala de forma dura, grita. O machão arranja brigas, gosta de filmes violentos. O machão não lê, não diz coisas afetuosas. O machão impõe sua vontade e, quando contrariado, dá um soco na parede. O machão não cuida da saúde e diz que toda forma de autocuidado (físico e mental) é "coisa de veado". O machão tem orgulho de não entender nada sobre a comunidade LGBTQIA+. O machão trata mulheres como objetos. O machão compensa suas inseguranças com carros que dirige em alta velocidade. O machão bebe até passar mal, fala muitos palavrões e tem certeza de que tudo isso o faz ser "um homem de verdade".

Dentro da tal masculinidade tóxica, a primeira coisa sobre a qual precisamos conversar é esse conceito de "homem de verdade". Classificar os homens entre duas espécies (os verdadeiros e os não verdadeiros) é uma coisa completamente estapafúrdia. Homens gays são homens de verdade. Homens bissexuais são homens de verdade. Homens transexuais são homens de verdade. Homens heterossexuais são homens de verdade. E ponto. O "ser homem" não é um monopólio de uma determinada classe de pessoas.

A masculinidade tóxica é uma interpretação da masculinidade que faz mal à saúde física e mental de todos nós. Nenhum homem gosta de ter que esconder seus medos. Nenhum pai ou mãe quer que seu filho engula o choro quando tiver um problema na escola. Nenhum de nós gosta de homens que berram e que ameaçam ser violentos. Não há absolutamente nada de ruim no fato de ser homem e de ser masculino, o que todos nós queremos é apenas um mundo com uma masculinidade saudável.

O escritor congolês JJ Bola escreveu um livro fantástico sobre a masculinidade tóxica, intitulado *Seja ho-*

mem: A masculinidade desmascarada e que no Brasil foi lançado em edição com prefácio de Emicida. O livro pontua, no seu último capítulo:

> A masculinidade é fluida e está sempre mudando. O sistema do patriarcado não é permanente: ele foi criado pelas pessoas, assim como todos os sistemas de opressão, e por isso também pode ser transformado pelas pessoas.[2]

Transformemos esse sistema. Transformemos a masculinidade em algo positivo, saudável e funcional. Até porque a forma que ela tem hoje em dia não está sendo boa para nenhum de nós.

Existe uma conexão muito, muito próxima entre a masculinidade tóxica e a violência. Uma coisa está intimamente ligada à outra e, se pretendemos viver num mundo menos violento, precisamos debater a masculinidade, bem como o papel das lideranças masculinas no mundo.

Virginia Woolf escreveu no final dos anos 1930 um artigo chamado "As mulheres devem chorar... Ou se unir contra a guerra".[3] Nesse artigo, a autora fala muito sobre a relação intrínseca que se estabeleceu entre o patriarcado e o militarismo, afirmando que a guerra e as armas representam uma forma muito relevante de dar poder aos homens e de colocar as mulheres numa posição social muito frágil.

A guerra, apesar de seu cunho fundamentalmente político, está muito ligada à ideia de honra masculina. A ofensa à honra masculina de um dirigente de Estado pode ser pretexto para a decretação de uma guerra. A honra masculina também é uma chave essencial nas condutas militares, sobretudo naquilo que tange à morte. Nas guerras, não são apenas os interesses estatais que estão em disputa – a honra masculina também está.

O sociólogo Renan Theodoro escreveu sua dissertação de mestrado na USP sobre "Banalidades e brigas de bar: estudo sobre conflitos interpessoais com desfechos fatais". Na pesquisa, Theodoro analisa o porquê de desentendimentos irrelevantes acabarem frequentemente em mortes no Brasil – sobretudo nos bares, que são, historicamente, locais de socialização masculina.

Uma das constatações desse trabalho é que a honra masculina aparece de forma quase "sagrada". Se alguém ofende um homem naquilo que ele considera parte da sua honra (questionar sua sexualidade ou a fidelidade da sua companheira, por exemplo), a sociedade, impregnada pela masculinidade tóxica, o incentiva a buscar essa "defesa da honra" até o fim, o que pode fazer com que supostos xingamentos como "veado" ou "corno" levem um homem a matar outro.

Theodoro ainda pontua outra questão interessante: o momento no qual a briga deixa de ser verbal para passar à agressão física deveria coincidir com a tomada de consciência de que a discussão foi longe demais. Se dois homens discutem até um tocar no corpo do outro, o toque deveria ser o sinal de que "se já chegou nesse ponto, vamos nos afastar e parar por aqui". Mas o que acontece é exatamente o oposto. A honra masculina também traz a noção de que o corpo masculino é praticamente sagrado e intocável (oposto da visão que se tem sobre o corpo da mulher, visto como acessível e banal), então o toque no momento da briga representa o momento-chave para a explosão da violência.

Essa visão que temos sobre a afirmação da masculinidade através da violência contamina inúmeros assuntos, sobretudo aqueles que historicamente estão ligados aos homens, como é o caso do automobilismo e do futebol.

A questão da alta velocidade no volante é um tema sobre o qual precisamos conversar. Os chamados "rachas" ou "pegas", que são corridas ilícitas de carros ou motocicletas, são responsáveis por milhares de mortes no mundo – quase sempre de homens. Essa relação pouco saudável entre velocidade e masculinidade acaba por não se limitar a esse tipo de competição, mas por se refletir no dia a dia, quando homens fazem ultrapassagens perigosas no trânsito, dão fechadas como forma de "punir" o outro motorista e se envolvem em brigas que podem acabar muito mal.

O filme argentino *Relatos selvagens*, de Damián Szifron, conta cinco histórias sobre violência. Uma delas, chamada "El más fuerte", é exatamente sobre uma briga de trânsito entre dois homens que chega às últimas consequências. Vale a pena ver e refletir sobre quantas vezes nos colocamos em situação de perigo sem que haja qualquer justificativa racional para tanto.

Paralelamente a isso, devo admitir que, mesmo estudando as questões de gênero há bastante tempo, eu não percebia, até recentemente, como um dos meus discursos mais frequentes sobre esporte estava revestido pela masculinidade tóxica. Eu, que adoro futebol desde criança, sempre dizia que gostava mil vezes mais da Copa Libertadores da América (que reúne os principais times da América Latina) do que da Champions League (o torneio equivalente, com times europeus), afirmando que a Champions era "civilizada demais", enquanto a Libertadores "tinha muito mais emoção", por causa das brigas entre times, expulsões, invasões de campo e de vestiários. Eu nunca tinha percebido, até ler o livro de JJ Bola, que o meu discurso reforçava o padrão masculino agressivo, bruto e violento.

Eu continuo preferindo a Libertadores à Champions.

Mas hoje uso outros argumentos para explicar a minha preferência. Posso dizer que a Libertadores ainda é um pouco mais espontânea do que a Champions pois os jogadores não estão tão amarrados a patrocínios tão altos quanto no futebol europeu, posso dizer que gosto mais do calor da torcida, enfim, outros argumentos. Brigas e invasões, não mais.

Nos jogos olímpicos de Tóquio, em 2021, o atleta britânico Tom Daley chamou a atenção por estar tricotando no banco, enquanto aguardava sua prova de saltos ornamentais. Daley ganhou a medalha de ouro e disse que quis tricotar um casaco com a palavra "Tóquio", a bandeira britânica e os anéis olímpicos durante os jogos para guardar mais uma lembrança daquelas olimpíadas. O atleta aproveitou o interesse da mídia para pedir doações à instituição The Brain Tumour Charity, que apoia pessoas com tumores cerebrais, razão da morte de seu pai, aos 40 anos.

Os esportes são amostras da sociedade na qual vivemos e a pergunta que eu deixo é: em que tipo de mundo queremos viver? Na pancadaria que ainda há no futebol e em outros esportes, com xingamentos e comportamentos violentos, ou em mundos que valorizem pessoas como Daley? Pouco importa se ele é gay ou heterossexual. Que tipo de masculinidade queremos? Um atleta de alta performance que faz tricô e abraça causas sociais não seria uma linda referência?

Lembremos ainda do ator e apresentador Rodrigo Hilbert, casado com a apresentadora Fernanda Lima. Hilbert faz crochê, cozinha, pratica ioga e até já apareceu na televisão montado de drag queen. O mais interessante é que Hilbert é um dos homens mais desejados pelas mulheres brasileiras – e não apenas por seus belos olhos azuis e sorriso bonito, mas por mostrar um comportamento saudável, colaborativo, nada ameaçador. Mulheres, em geral, só querem viver em paz, sem medo, dividindo tarefas de forma justa com um companheiro que cuide de sua saúde física e mental. Se ele for bonitão como Hilbert, ótimo. Se não, tudo bem também. No século XXI, a prioridade número 1 é fugir de brutamontes que não cuidam da casa nem dos filhos e que ficam falando palavrões e arrotando no sofá da sala. Esse modelo definitivamente não é atraente.

Em resumo: brutalidade e truculência não deveriam ter nada a ver com masculinidade. E uma masculinidade segura não precisa ser minimamente tóxica, pelo bem de todos nós – homens e mulheres.

Para saber mais sobre este assunto

- 📖 *Seja homem*, JJ Bola
- 📖 *Os machões dançaram*, Xico Sá
- 📖 *Homens justos*, Ivan Jablonka
- 🎙️ *Macho Detox*, com Fernando Rocha
- 🎬 *Relatos selvagens*, de Damián Szifron (2014)
- 🎬 *Eu não sou um homem fácil*, de Éléonore Pourriat (2018)
- 📺 *Tempero de Família*, programa da GNT com Rodrigo Hilbert (2013)
- 📺 *Big Little Lies*, série original da HBO com Nicole Kidman e Reese Witherspoon (2017)
- 📺 *Queer Eye*, série original da Netflix com Jonathan Van Ness e outros (2018)

"Eu não posso mais nem fazer uma piada?"

POLITICAMENTE INCORRETO

Houve um tempo no qual o principal tipo de machista que conhecíamos era aquele que dizia barbaridades como "lugar de mulher é na cozinha" ou "algo ela deve ter feito para o marido bater nela", mexia com mulheres na rua, cuspindo no chão e gritando constantemente com esposa, filhas e empregadas, certíssimo do seu direito infinito de "usufruir" das mulheres.

Esse tipo de homem certamente ainda existe, mas há uma série de ambientes nos quais ele já não aparece com muita frequência. Isso acontece, em boa parte, porque uma parcela significativa dos homens já percebeu que esse tipo de comportamento escancarado de desrespeito não é mais tolerado. Não se trata propriamente de uma mudança de visão acerca do machismo, mas de uma mera mudança de conduta social.

O machismo segue existindo, mas numa roupagem bastante diferente. Uma roupagem um pouco mais elegante, mas também muito perigosa. O machismo, agora, vem frequentemente em forma de humor, de elogio e de condescendência. E isso é tão grave quanto traiçoeiro.

※

Atire a primeira pedra quem nunca ouviu um homem (ou até uma mulher) dizer: "Nossa, mas eu não posso mais nem fazer uma piada?" E deixe-me adivinhar: provavelmente isso aconteceu depois que esse homem (ou mulher) fez uma piada machista, racista ou homofóbica e ninguém riu – ou, ainda melhor, alguém teve a coragem de dizer: "Fulano, isso não é engraçado, isso é totalmente machista."

Muita gente diz que feminismo é "mimimi" ou vitimismo. Mas quando essas mesmas pessoas fazem esse tipo de piada e são criticadas por elas, subitamente se julgam as vítimas de uma sociedade que "está ficando chata".

Nessas situações, eu sempre gosto de dizer que para as pessoas que são os alvos desse tipo de humor (as mulheres, os negros, os gays, as travestis, os gordos...) o mundo está chato há cerca de 2 mil anos. Sim. Para quem é a vítima da "brincadeira" o mundo está chato, violento e injusto há muito tempo.

Por isso: sim, talvez o mundo esteja ficando um pouquinho menos legal para quem gosta de fazer piadas que agridem outras pessoas, exatamente para que possa ficar um pouquinho menos insuportável para quem vem há alguns séculos carregando esse tipo de humor estúpido nas costas.

※

Ainda sobre as piadas: me lembro de, desde criança, ouvir piadas sobre loiras. Fui uma criança loira e me lembro de, algures na minha infância, me perguntar: "Mas por que as pessoas acham que pessoas com cabelo amarelo são menos inteligentes?", genuinamente sem entender o porquê da graça.

Agora, se isso atinge uma criança loira (que está o tempo todo ouvindo que cabelo loirinho e lisinho é lindo), o que dizer sobre o que piadas de mau gosto como essa representam para crianças negras? Ou para meninos e meninas que sofrem de obesidade? Ou para crianças que já sintam alguma inclinação para a homoafetividade?

Os sofrimentos e dificuldades que essas pessoas encararão vida afora já são bastante significativos. Talvez o humor possa fazer o favor de deixá-las em paz por alguns instantes.

※

Quando as pessoas falam em comportamentos politicamente corretos ou incorretos, muitas vezes há uma confusão grave entre esses conceitos e atitudes que configuram verdadeiros crimes, segundo a nossa legislação.

Dizer que "fulano é desmunhecado", como forma de ridicularizar o outro, pode ser considerado "politicamente incorreto". Mas dizer que alguém "tem que tomar umas porradas para deixar de ser veado" é crime. A lei brasileira criminaliza o racismo, a homofobia, a transfobia, bem como penaliza comentários sexistas.

Frequentemente as pessoas acham que podem manifestar suas opiniões sem nenhum tipo de consequência. Mas quando se trata de honra, segurança e respeito aos demais, não há espaço para opinião. Passar num sinal vermelho é passar num sinal vermelho. Ninguém discute o fato de isso ser errado, não é uma "questão de opinião". Incitar violência por gênero, raça ou orientação sexual é igualmente ilegal. E não "politicamente incorreto".

Há quem diga que o "politicamente correto" cerceia a liberdade de expressão. Isso não é verdade. A liberdade de expressão vai até o limite da lei. Depois de um certo ponto não há mais liberdade, pois você passa a ofender o direito alheio a respeito e dignidade. E, sim, há certas coisas que não ofendem a lei, mas que o bom senso de quem fala deveria ser capaz de frear – o que nem sempre acontece. Como dizem por aí: "Pode? Pode. É de bom-tom? Não é." Dentro do que é permitido por lei, cada um faz as suas escolhas – e deve saber lidar com as consequências delas.

Outra frase que ouvimos com alguma frequência é a famosa "Elogiar também não pode mais?", quando alguma mulher se sente desconfortável ou desrespeitada por ter a sua aparência avaliada por alguém a quem ela não pediu opinião.

Dizer algo supostamente positivo sobre alguém nem sempre é adequado ou respeitoso. Não estou nem falando do ato de mexer com mulheres na rua, de assobios ou gritos de "gostosa!". Isso não é elogio, é constrangimento e desrespeito. Estou me referindo aos elogios que até podem ser bem-intencionados mas que, em geral, são inadequados.

A deputada Shéridan Oliveira (PSDB-RR), depois de expor uma matéria de sua relatoria por mais de meia hora em plenário, ouviu um colega deputado dizer que não havia prestado atenção em nada do que ela disse, pois não conseguia parar de olhar para a sua boca enquanto ela falava.[4] Alguém ainda insiste na ideia de que isso é um elogio e não uma conduta desrespeitosa com uma mulher que está tentando trabalhar e expor as suas ideias?

Infelizmente não posso dizer que nunca passei por algo semelhante. Fui chamada pelo instituto no qual pesquiso para fazer uma exposição em inglês sobre minha tese de doutorado para uma comissão da União Europeia, que avaliava a concessão de um subsídio europeu para um grupo de estudos. Fiquei tensa com a responsabilidade, me esforcei e me preparei. Além de mim, outras pesquisadoras de mestrado e doutorado se apresentaram.

No final, quando saímos da sala, os professores do instituto nos perguntaram como tinha sido a entrevista. Eu disse que achava que havia sido boa e comecei a falar sobre as principais perguntas da comissão. Foi quando um dos professores do grupo me interrompeu e disse: "Mas com um grupo de tantas mulheres bonitas, não haveria forma de correr mal."

Eu nem sei explicar o sentimento de desilusão que tive naquele momento. Talvez tenha só sido um elogio inoportuno, sem intenção de agredir, mas a minha sensação era a de ter sido "escalada" para aquele grupo por causa de cabelos e sorrisos, não pela minha pesquisa acadêmica. E, para alguém que se dedicava (e se dedica) à pesquisa havia tantos anos, aquele elogio era mais dolorido do que várias formas de agressão verbal.

※

Ele, que sabia de cor
As moças mais fáceis
Engates mais rascas*

---

* A expressão "engates mais rascas" seria algo como "paqueras mais vulgares".

Ela, que ficava em casa, fechada
Com medo de ser
Só mais um rabo de saias

Esse é um trecho de uma música deliciosa chamada "Antes dela dizer que sim", de uma jovem cantora e compositora portuguesa talentosíssima chamada Bárbara Tinoco. Eu, particularmente, adoro ouvir essa música. Sugiro, inclusive, que vocês façam o mesmo. Mas é fundamental olharmos para esse trecho com um olhar crítico.

É um trecho machista? Sim. Bastante. E não dirijo minha crítica à compositora. Tudo isso só acontece por causa da sociedade machista dentro da qual somos criados (e, cá entre nós, potencializada em Portugal por um moralismo conservador que amarra ainda mais as mulheres).

Reparem nessa divisão que há entre as mulheres: moças mais fáceis e moças menos fáceis. Nesse momento, o "politicamente correto" ganha outros contornos, se transformando em mecanismo de opressão: mulheres corretas, mulheres incorretas. Essa classificação seria inimaginável ao falarmos de homens. Imaginem só, um homem se fazendo de difícil para ir para a cama com uma mulher, para que ela não o julgue um "homem fácil", e ela tendo que insistir muito para conseguir convencê-lo a se render.

O grande problema nessa ideia é a opressão às vontades de uma mulher. Ela teoricamente não pode se deixar guiar pelos seus instintos e desejos. Em vez disso, precisa se guiar pelo papel que é tido como adequado para ela. E o que acontece muitas vezes é: o homem quer, a mulher quer, mas a sociedade não quer que ela queira. E se ela admitir que quer e "se render", corre o risco de ser julgada e rotulada pelo parceiro e por todo o resto.

Não basta que as mulheres se libertem dessas amarras. É fundamental que os homens enxerguem que a mulher que toma a iniciativa de convidar alguém para sair, a mulher que transa no primeiro encontro, a mulher que sugere uma ida a um motel, a mulher que avança para dar um primeiro beijo é uma mulher perfeitamente normal e que tem todo o direito de tomar as próprias decisões – o que deveria ser um alívio para todo mundo.

Ninguém quer mulheres que, em pleno século XXI, fiquem "fechadas em casa com medo de ser só mais um rabo de saias". Somos livres. Temos desejos. E o peso das iniciativas não pode recair só sobre os homens, porque isso também é machismo. Um mundo no qual ainda tachamos mulheres de "fáceis" também é um mundo difícil para os homens.

Para saber mais sobre este assunto

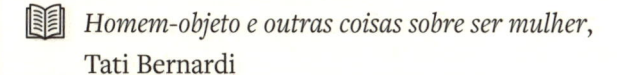

📖 *Homem-objeto e outras coisas sobre ser mulher*, Tati Bernardi

🎵 *Antes dela dizer que sim*, Bárbara Tinoco

📺 *The Chair*, série original da Netflix com Sandra Oh (2021)

"Isso é mimimi. A empresa onde eu trabalho tem muitas, muitíssimas mulheres."

DIVERSIDADE E REPRESENTATIVIDADE

A frase que dá título a este capítulo representa um tipo de discurso que ouvimos com frequência. Como advogada, escuto toda hora que "tal escritório já tem mais mulheres do que homens". Ok. Isso pode ser um bom sinal. Mas precisamos fazer outras perguntas a respeito desse assunto:

- Essas mulheres recebem o mesmo salário que os homens em posições análogas?
- Essas mulheres ocupam cargos de liderança?
- Há equilíbrio no número de homens e mulheres na cúpula da empresa?
- As mulheres dessa empresa são, de fato, aceitas enquanto mulheres ou precisam se comportar como homens para sobreviver nesse ambiente?

(A lista de perguntas é longa, mas por enquanto vamos ficar apenas com essas.)

Via de regra, a resposta para essas perguntas é uma só: não. Mas esse "não" costuma vir acompanhado de frases como "Mas isso é uma coisa que leva tempo" ou "Estamos em fase de transição". Com isso, admitimos que o problema não está solucionado e que, portanto, não cabe falar em "mimimi". (Aliás, por mim, o termo "mimimi" nem existiria – como dizem por aí, "mimimi é toda dor que não dói na gente".)

Estudos da ONU de 2019 apontam que a igualdade salarial entre homens e mulheres não será alcançada em menos de 250 anos se medidas formais não forem tomadas.[5] Se as coisas continuarem do jeito que estão hoje em dia (com muita gente dizendo que o problema já está "praticamente solucionado"), a diferença de pagamentos entre homens e mulheres para o desempenho da mesma função persistirá até meados de 2272. Se fizermos o mesmo raciocínio olhando para trás, recuaremos com a existência do problema até 1772, antes mesmo da Revolução Francesa.

Um ponto muito relevante é entender que as mulheres, de fato, ainda não são aceitas enquanto mulheres nos ambientes de trabalho. Podemos começar observando a famosa "roupa social", que consiste basicamente em camisa social branca ou azul com calça preta, ou então o famoso terninho preto. São, basicamente, fantasias de homem. A mulher, que durante séculos não teve permissão para usar calças, de repente se vê obrigada a usar trajes tradicionalmente masculinos para ser vista como profissional. Será que, se mulheres fossem efetivamente livres para escolher o que vestir para trabalhar, elas fariam essa escolha? Ou será que essa é só uma forma de buscar aceitação e respeito perante os colegas do sexo masculino?

O tema não se esgota na questão da roupa. Temas como gravidez, amamentação, menstruação e tantos outros assuntos atrelados à vida da mulher seguem sendo tratados como verdadeiros tabus no mundo do trabalho. Quantas mulheres não dizem que precisam ir embora mais cedo por causa de uma enxaqueca que, na realidade, é uma cólica menstrual? Quantas mulheres ainda se apavoram para contar que estão grávidas? Quantas mulheres encurtam sua licença-maternidade para tentar evitar uma demissão tempos depois?

O fato é: as mulheres não são aceitas no mercado de trabalho enquanto mulheres. Elas são razoavelmente aceitas se mimetizarem comportamentos masculinos. Homens, em geral, não precisam criar uma personagem para o ambiente profissional. Eles podem ser a mesma pessoa em casa e no trabalho. Para as mulheres, isso é bem mais complicado. Porque elas podem ser vistas como simpáticas *demais*, sensíveis *demais*, delicadas *demais*, agressivas *demais*, espontâneas *demais*, opinativas *demais*.

Enfim, é difícil acertar quando se é mulher. É difícil acertar simplesmente porque não somos homens.

Alguns temas são urgentes e fundamentais no mundo do trabalho. As noções de *mansplaining, manterrupting, gaslighting* e *bropriation* demandam um debate específico. Conversaremos sobre isso num capítulo mais à frente.

Uma queixa muito comum de mulheres com as quais lido quando faço eventos sobre gênero em grandes empresas diz respeito ao fato de elas serem, com muita frequência, tratadas como assistentes em reuniões nas quais têm o mesmo protagonismo que qualquer colega do sexo masculino. Não há nada de mau em ser assistente, secretária ou exercer atividade semelhante – muito pelo contrário. Mas impor essas atividades a alguém cuja função não é essa é desrespeitoso e descabido.

Esse é um fenômeno muito constante em diversos locais de trabalho, embora ainda se fale bem pouco acerca dele. Em uma situação com vários homens e mulheres em posições hierárquicas equivalentes, designar sempre uma mulher para tomar notas, encaminhar e-mails, providenciar os materiais necessários e outras coisas do gênero, partindo do princípio de que ela fará isso melhor do que qualquer homem *apenas porque é mulher*, é um sinal claro de machismo insidioso.

E, claro, a mulher que se negar a assumir esse papel ou que se manifestar, dizendo que não fará nada disso, corre o sério risco de ser tachada de doida, histérica, mal amada ou, ainda, de "estar de TPM" (ou de estar na menopausa). Como dizer que mulheres estão realmente incluídas e aceitas no mercado de trabalho?

Quando não há diversidade nas cúpulas das empresas ou nas cúpulas que organizam os eventos, é muito natural que a diversidade não seja uma pauta debatida. Se só há homens brancos organizando os eventos, é obviamente mais difícil encontrar uma palestrante negra.

E muitos ainda caem na desculpa de dizer: "Ah, mas não tem muita mulher nessa área." Isso pode até representar um desafio extra, no sentido de expandir suas redes de contato e procurar pessoas novas para compor um painel ou debate – ou um novo membro para uma equipe –, mas esse ato de sair da zona de conforto com o propósito específico de aumentar a diversidade contribui para um resultado não só mais inclusivo, mas também mais inovador e potencialmente mais rentável.

Segundo um estudo de 2018 da consultoria americana McKinsey,[6] existe uma forte correlação entre diversidade de gênero nas equipes executivas e lucratividade e criação de valor. Ou seja: não se trata de um favor (ou de um mero artifício para melhorar a imagem da empresa), mas de administrar a empresa de forma inteligente.

Meninas que estão na escola, garotas que estão na faculdade e mulheres que estão batalhando por suas carreiras precisam se sentir representadas. Precisam sentir que é possível estar no palco, no púlpito, no local de destaque. Sem representatividade não há avanço.

Sejamos claros: eventos e empresas sem diversidade, nos dias de hoje, são eventos ruins e empresas ultrapassadas. E não importa: podemos estar falando de engenharia mecânica ou de design de games. Sempre haverá uma mulher boa para palestrar ou trabalhar. Repito: sempre haverá uma mulher boa para palestrar ou trabalhar. Basta procurar.

Para saber mais sobre este assunto

- 📖 *Clube da luta feminista*, Jessica Bennett
- 📖 *Mulheres e poder: Um manifesto*, Mary Beard
- 📖 *Mulher, roupa, trabalho: Como se veste a desigualdade de gênero*, Mayra Cotta e Thais Farage
- 🎬 *Joy: O nome do sucesso*, com Jennifer Lawrence, Robert de Niro e Bradley Cooper (2015)
- 🎬 *Estrelas além do tempo*, com Taraji P. Henson, Janelle Monáe e Octavia Spencer (2016)
- ▶ *Purl*, animação de seis minutos da Pixar (2018)
- ▶ "O maldito terninho preto", vídeo disponível no canal Ruth Manus (2021)

"Será que o problema mora mesmo tão longe?"

VIOLÊNCIA CONTRA A MULHER

Quando ouvimos falar em violência contra a mulher, pensamos quase automaticamente nas violências física e sexual. E, sim, esses ainda são os problemas mais graves e urgentes quando falamos sobre esse assunto. Acontece que, ao situarmos a violência contra a mulher como sendo apenas isso, acabamos por nos afastar do sentido mais amplo da expressão.

Segundo a Lei Maria da Penha, que trata da violência contra a mulher no Brasil, a violência pode ocorrer de cinco formas: física, sexual, patrimonial, psicológica e moral. Vale lembrar que a violência sexual inclui atos como beijo forçado, toque sem consentimento, persuasão ou pressão psicológica por um aborto e tantas outras coisas que não são necessariamente estupro.

Mas é fundamental falarmos sobre as outras modalidades de violência, pois é frequentemente aí que residem fantasmas que gostamos de não enxergar. A violência patrimonial pode ser caracterizada como aquela derivada da falta de pagamento de pensão alimentícia, do controle do dinheiro familiar pelo homem como mecanismo de poder, entre outros. A violência psicológica é executada através de insultos, xingamentos, ameaças, humilhação, manipulação, ridicularização e muitas outras condutas que conhecemos bem. Por fim, a violência moral se caracteriza por ofensas à índole da pessoa, acusações de traição e pela tão atual exposição da vida íntima da vítima.

Insultos, exposição da vida íntima (vazar nudes que chama, né?), falta de pagamento de pensão, ridicularização... Enfim. Honestamente, eu creio que todos nós, homens ou mulheres, em algum momento da nossa vida, já cometemos alguns desses atos de violência. E o primeiro passo para mudarmos é admitir que erramos e que, em alguma medida, também podemos ser violentos, mesmo sem machucar o corpo de ninguém.

※

Vale a pena destacar alguns dados estatísticos sobre a violência contra as mulheres, só para não perdermos de vista a dimensão do problema:

O Brasil registra um caso de feminicídio a cada seis horas e meia.[7]

Falemos um pouco sobre feminicídio. Esse é um crime hediondo, previsto no Código Penal desde 2015 como um tipo específico de homicídio, no qual se mata uma mulher num contexto em que o seu gênero é decisivo para essa morte. Num latrocínio (roubo seguido de morte), por exemplo, o gênero não é decisivo. Mas num espancamento de companheira até a morte, numa facada na ex-namorada ou no ato de matar uma prostituta, ser mulher é o que define a morte.

O Brasil é o quinto país do mundo com maior número de feminicídios. Só perdemos para El Salvador, Colômbia, Guatemala e Rússia.

No estado de São Paulo, os atendimentos policiais por casos de violência doméstica aumentaram 44,9% durante a pandemia de covid-19.[8] Será que podemos dizer que muitos homens, quando ficam fechados em casa com suas companheiras, se descobrem violentos?

De qualquer maneira, nos 12 meses que antecederam a pandemia – ou seja, num cenário teoricamente normal – foram registradas no mundo 243 milhões de agressões físicas ou sexuais a mulheres de 15 a 49 anos, vindas de um parceiro íntimo, segundo dados da ONU Mulheres.[9]

O problema não mora longe. Para falarmos de violência contra a mulher, não precisamos ir até os países que ainda legitimam a mutilação genital. A violência contra a mulher, em todas as suas versões, mora (realmente) ao lado. Isso quando não mora dentro da nossa própria casa.

O mais estranho nisso tudo é que muitos de nós conhecem mulheres que já foram vítimas de algum tipo de violência, mas curiosamente quase nenhum de nós conhece um homem que assuma que cometeu uma agressão (e que poderia buscar tratamento para não repetir comportamentos violentos). A conta não fecha. Para cada mulher agredida, há um agente agressor – e eles costumam estar entre nós, mesmo que não saibamos.

※

Não é incomum, ao ouvir um relato sobre violência contra a mulher, escutar comentários do tipo "Ah, mas tem que ver se foi isso mesmo que aconteceu" ou "Mas algo ela deve ter feito para que a coisa chegasse a esse ponto".

Como advogada, sou a primeira a frisar a importância do direito ao contraditório – ou seja, o direito do outro de se defender. No entanto, quando alguém conta que foi assaltado, não costumamos ouvir ninguém dizer "Ah, mas precisamos falar com o assaltante para nos certificarmos de que foi realmente isso que aconteceu". Ninguém diz coisas como "Mas também, né? O cara estava andando na rua à noite, depois de beber, estava quase pedindo para ser assaltado, não dá para culpar só o assaltante". Nesses casos, em geral, presume-se que a vítima é, de fato, vítima. O que não quer dizer que o suposto assaltante não tenha direito de defesa.

Mas, por alguma razão (machismo que chama, né?), quando falamos de violência contra a mulher, frequentemente as pessoas resolvem inverter o quadro e presumir que a vítima é, na verdade, alguém que está mentindo ou exagerando. Quantas vezes já ouvimos alguém perguntar qual era a roupa que a vítima do estupro estava usando?

Uma sociedade machista nos leva a instintivamente pensar em defender o homem, pois ele é a referência de poder, de correção, de normalidade. Questionar a razão da mulher – seja nesse contexto ou em qualquer outro – é uma premissa muito básica do patriarcado. E a gente precisa rever isso.

Vale acrescentar: muitas (realmente muitas) mulheres não têm coragem de denunciar casos de violência sexual. Elas têm medo. Elas sentem vergonha. Elas não querem mais falar sobre o assunto. Isso significa que o número de casos de violência sobre os quais sabemos é assustadoramente menor do que aquilo que de fato acontece.

Quando eu tinha uns 18 anos, estava numa cidade no interior de Minas Gerais num carnaval, andando na calçada durante o dia para voltar ao hotel. De repente, sem que eu sequer tivesse tempo para processar o que estava acontecendo, um homem enorme, musculoso, de regata, me agarrou, segurou minha cabeça com a mão e começou a me beijar na boca. Eu tive que fazer tanta força para repelir aquele brutamontes – que eu nunca tinha visto na vida – que meu brinco (um brinco que eu adorava, prateado com espirais) voou para longe e meu rabo de cavalo se desfez.

Assim que consegui me desvencilhar dele, saí correndo. Não gritei com ele. Não tentei esmurrá-lo. Não procurei meu brinco no chão. Não procurei a polícia. Não contei para os meus pais. Na verdade, essa é a primeira vez que eu falo sobre esse assunto – mesmo trabalhando há tantos anos com questões de gênero. Levei 15 anos para entender que sofri um episódio de violência sexual (se algum leitor – homem ou mulher – tiver dúvida de quão grave foi isso, peço que releia a história imaginando que é você no meu lugar). Eu tive vergonha – e permaneci em silêncio – durante 15 anos. Há milhões de histórias como essa – e tantos outros milhões de histórias mais graves. Há milhões de mulheres em silêncio até hoje.

※

Pessoas que nunca agrediram fisicamente mulheres podem, de outras maneiras, colaborar com a violência. Falemos um pouco sobre o universo pornô. Pense na pornografia que você já consumiu ou consome e reflita: a violência contra a mulher está presente? Eu detesto esse tipo de particularização do debate, mas pergunto: a forma como as mulheres da indústria pornográfica são tratadas é a forma como você gostaria que sua irmã, sua filha ou qualquer outra mulher pela qual você tem afeto fosse tratada por um parceiro sexual?

É fundamental falar sobre isso. Existe agora uma geração que cresce acessando esse tipo de conteúdo on-

-line. Será que esses jovens terão algum tipo de referência saudável de como tratar uma mulher na intimidade, com prazer mas sem violência? Esse é um assunto sério. Quando consumimos conteúdo violento (spoiler: existe pornô sem violência, sem incesto e sem abuso de menores, basta procurar), estamos dizendo à indústria da pornografia: "É isso mesmo, façam mais, produzam mais, é isso que queremos!" Estamos financiando uma máquina que incentiva milhões de homens a serem violentos na intimidade.

É isso mesmo que queremos?

***

É muito importante repensar a nossa relação com a violência. Podemos ser extremamente violentos apenas de forma verbal. Chamar uma mulher de "vaca", "vagabunda" ou "piranha" é ser violento. Tolher a liberdade da sua companheira ou filha na hora de se vestir é violento. Gritar é violento. Nem sempre é preciso usar as mãos para cometer algum tipo de violência.

Mas, por falar em mãos, também é válido dizer que dar soquinhos na parede, no sofá, no painel do carro também é violento – é como dizer: "Estou batendo em outra coisa para não bater em você." Quebrar coisas, dar pontapé em móveis, tudo isso é uma forma de violência que provavelmente faz sua companheira se perguntar: "Será que a próxima sou eu?"

Para saber mais sobre este assunto

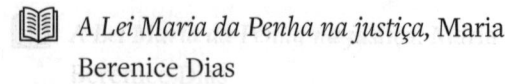

- 📖 *A Lei Maria da Penha na justiça*, Maria Berenice Dias
- 📖 *Recordações da minha inexistência*, Rebecca Solnit
- 📖 *Objeto sexual*, Jessica Valenti
- 📖 *Abuso: A cultura do estupro no Brasil*, Ana Paula Araújo
- 📖 *Precisamos falar sobre abuso: Conversas e memórias sobre a cultura do estupro*, Roxane Gay
- 📖 *Vista Chinesa*, Tatiana Salem Levy
- 📖 *Por que você voltava todo verão?*, Belén López Peiró
- 📝 Dados sobre feminicídio no Brasil – ONG Artigo 19 (disponível on-line)
- 📺 *Hot Girls Wanted*, documentário disponível na Netflix (2015)
- 📺 *I May Destroy You*, série original da HBO com Michaela Coel (2020)

"Você é doida. Você fala demais. Você não sabe do que está falando."

OUTRAS FORMAS DE VIOLÊNCIA VERBAL E PSICOLÓGICA

Já falamos um pouco aqui sobre a violência contra as mulheres e sobre como costumamos olhar para esse assunto de forma superficial, distanciando-nos dele. Frisamos que as violências física e sexual são só duas dentre diversas formas de violência contra a mulher. Uma dessas outras modalidades é a violência verbal – que pode fazer parte da violência moral ou psicológica. E mais uma vez a nossa tendência é pensar apenas nos berros, nos xingamentos e em outras formas escancaradas de desrespeito.

Todavia, existem muitas formas de uma pessoa ser verbalmente violenta com alguém. Silenciar alguém é uma forma de violência. Utilizar-se da sua voz para oprimir outra pessoa é uma forma de violência. Dizer que uma mulher está louca, quando ela está simplesmente zangada, é uma forma de violência. Apropriar-se de algo que uma pessoa disse, sem dar os créditos a ela, é uma forma de violência.

Vale dizer que, enquanto boa parte da violência física fica escondida dentro das paredes de uma casa, essas formas de violência verbal acontecem todos os dias perante os nossos olhos. Elas estão no ambiente de trabalho, no almoço de família, na fila do caixa do supermercado. E admitirmos que elas existem – e que agridem, marginalizam e inibem milhões de mulheres – é o primeiro passo a dar.

※

Acho curioso quando, em alguma roda de conversa, alguém fala em *mansplaining, manterrupting, gaslighting, bropriation* ou *hepeating* e alguém rebate dizendo que agora "inventaram" esse monte de coisa. Isso me lembra a minha avó, que às vezes diz que nos tempos dela ninguém morria de Alzheimer, de infarto ou de câncer. Eu digo para ela: "Sim, vó, as pessoas morriam disso, só que não havia diagnóstico... Vocês diziam que o fulano morreu porque estava gagá, em vez de chamar a doença de Alzheimer, assim como diziam que beltrano teve um piripaque, em vez de um infarto."

Mulheres sempre foram interrompidas em conversas, sempre foram tachadas de malucas ou desequilibradas, sempre lidaram com a presunção da sua incapacidade de entender as coisas e sempre tiveram suas ideias apropriadas por homens que não lhes davam os devidos créditos por elas. Mas, até darmos nomes a esses comportamentos, eles seguiam sem um diagnóstico exato, assim como as doenças que matavam os vizinhos da minha avó no início do século XX.

Entender o que é cada uma dessas palavrinhas em inglês é essencial para combater as atitudes que elas nomeiam. E, muito embora a palavra *man* – ou seja, "homem" – esteja presente em dois desses conceitos, é fundamental lembrar que mulheres também cometem algumas dessas violências contra outras mulheres. Esse é um problema geral – preponderantemente protagonizado por homens, mas não raro também encabeçado por mulheres.

Mansplaining

Do inglês *man explaining*, ou "homem explicando". Trata-se das inúmeras vezes (leitores homens, acreditem em mim: são, de fato, *inúmeras*) que uma mulher recebe de um homem explicações óbvias, em tom de condescendência, sobre coisas que ela já sabe.

Gosto de já começar essa conversa com um exemplo

muito óbvio e corriqueiro, protagonizado por manobristas, flanelinhas ou por qualquer outro homem que acha que deve ajudar uma mulher a fazer uma manobra com o carro. A mulher não pede ajuda, mas quando vê já tem um homem aos berros dizendo "VEM, VEM, PODE VIR, UM POUQUINHO PARA A DIREITA, CHEGA, VEM, VEM, AGORA É SÓ VIR, ISSO, PODE VIR". Ou o sujeito faz como meu pai (aquele homem fabuloso, focado em desconstruir seu machismo diariamente), que a cada vez que anda de carro comigo diz coisas como "Cuidado com o ônibus" quando se aproxima um daqueles biarticulados de quase 30 metros de comprimento, me fazendo questionar "Como ele pode achar que eu não veria um monstro desses?".

O *mansplaining* (que no Brasil ganhou o adorável apelido "macho palestrinha") está presente em todas as áreas da vida de uma mulher. Em casa, na rua, no trabalho, na academia, no estacionamento, no restaurante. A escritora e historiadora estadunidense Rebecca Solnit escreveu um livro exclusivamente sobre esse assunto, intitulado *Os homens explicam tudo para mim*, uma leitura que chega a ser assustadora, pois nos mostra o quanto das nossas vidas, enquanto mulheres, é condicionada por isso. O termo *mansplaining* surgiu num comentário anônimo no LiveJournal a um texto de Solnit, embora seja frequentemente creditado a ela.[10]

No meu caso, estudando e escrevendo sobre questões relativas a gênero, feminismo e machismo há vários anos, sou confrontada com esse tema quase diariamente. É indizível a quantidade de vezes que homens começam suas frases dirigidas a mim, quando sabem com o que trabalho, com "O que você precisa saber é...", "Mas é fundamental que você se lembre que...", "Mas você precisa levar em consideração...".

Não estou dizendo, de forma alguma, que eu não esteja aberta para o diálogo, ou que não haja mais nada a aprender sobre o assunto. Mas não seria o caso de esses homens me perguntarem coisas – se colocando num lugar humilde de quem talvez tenha estudado menos ou lido menos sobre esses assuntos do que eu – em vez de chegar me explicando coisas sobre as quais eu reflito e debato com frequência?

No ambiente de trabalho essa é uma realidade constante, que ultrapassa qualquer estrutura hierárquica ou quadro de carreira. E o mais difícil nesse tema é que os homens se convencem de que o que estão fazendo é uma forma de gentileza ou delicadeza, que estão agindo "com a melhor das intenções". Isso gera reações muito ruins quando as mulheres demonstram seu descontentamento ou ofensa com a explicação do que, para elas, é óbvio.

É preciso se perguntar se a explanação é mesmo necessária. É preciso se perguntar se você tem condições de debater ou acrescentar algo à pessoa com a qual você está falando. É preciso questionar se sua intervenção acrescenta ou ofende sua interlocutora. E é preciso que nós, mulheres, apontemos as situações nas quais isso acontece. "Pai, eu tenho carta de motorista há 15 anos e nunca bati o carro. Você não precisa me avisar que tem um ônibus do meu lado", "Fulano, eu trabalho nessa área há 10 anos, você não precisa me explicar meu trabalho", "Amor, eu sei perfeitamente a diferença entre escanteio e tiro de meta".

Manterrupting

Mais uma vez a expressão vem do inglês: *man interrupting*, ou "homem interrompendo". Este é um problema gigantesco sobre o qual precisamos conversar com bastante urgência. Neste momento em que você lê esta frase, milhares (ou milhões?) de mulheres estão tendo suas falas interrompidas ao redor do globo terrestre.

Segundo a BBC, em um dos debates presidenciais entre Donald Trump e Hillary Clinton em 2016, o candidato republicano interrompeu a democrata 52 vezes ao longo do evento.[11] Curiosamente, não há nenhum dado sobre interrupções que Trump tenha feito a Joe Biden na corrida presidencial de 2020. Não se trata de um problema de cunho político, mas de gênero.

Se isso acontece em transmissões televisivas, com mulheres que ocupam lugares de poder, o que acontece em outros ambientes? Quantas mulheres simplesmente desistem de falar, vencidas pelo cansaço da interrupção? O timbre da voz masculina, em geral, se sobrepõe facilmente ao da voz feminina, o que gera, de certa forma, uma intensificação do lugar de poder. Se a figura paterna, por exemplo, já é historicamente priorizada frente à figura da mãe enquanto autoridade familiar, numa conversa à mesa há uma dupla opressão: pelo lugar histórico e pelas características da própria voz. Ou seja, interrompe-se pela crença de que aquilo que é dito por uma mulher tem menos relevância do que aquilo que é dito por um homem e se tem êxito na interrupção por razões vocais.

Como já dissemos, é fundamental lembrar que mulheres também interrompem outras mulheres – coisa que fazemos muito menos quando são os homens que estão falando, já que somos ensinadas desde crianças a ter mais reverência por vozes masculinas do que por femininas. Por isso, não basta criticarmos os homens que nos interrompem, também é preciso fazer um trabalho diário de autocrítica.

Homens e mulheres devem se unir contra o *manterrupting*. Ao vermos uma mulher ser interrompida (e não importa se é na reunião de cúpula da empresa ou se é na mesa do almoço de domingo em casa), intervenhamos em favor dela. Digamos "Vamos terminar de ouvir o que fulana estava dizendo" ou "Peraí, pai, que a mamãe não terminou de falar". Fazer isso pode ser difícil, mas é necessário. E também tenhamos a coragem de dizer: "Eu ainda não terminei, deixe-me concluir a minha ideia."

Gaslighting

Você está louca. Você é maluca. Vá se tratar.
Controle seus hormônios. Você é uma desequilibrada.
Isso é tudo TPM? Você é doente.

Quando um homem está bravo por alguma razão, pensamos: "Alguma coisa grave deve ter acontecido para ele estar reagindo assim." Todavia, quando é uma mulher quem está brava, frequentemente pensamos coisas como: "Meu Deus, que histeria, para que todo esse escândalo?"

Isso pode parecer insignificante, mas é um problema grave. Quando tachamos uma mulher de "maluca" ou "desequilibrada", não estamos fazendo apenas uma acusação injusta e irresponsável acerca da saúde mental de alguém. Estamos, principalmente, deslegitimando o direito dessa mulher de estar com raiva.

Isso aconteceu comigo uma vez com um atraso de pagamento. Era um valor bem importante para mim.

Com três dias de atraso mandei um e-mail para o homem responsável pelo pagamento. Não tive retorno. Dois dias mais tarde, tentei outra vez. Quando o atraso já tinha mais de uma semana, comecei a tentar ligar, mas ele só me retornou a ligação 15 dias depois da data do devido pagamento. Eu já estava irada, com razão para tanto. Tinha assumido compromissos financeiros que dependiam daquele pagamento.

Quando ele me ligou, me disse que o atraso "nem era assim tão grande" para que eu o tivesse procurado tantas vezes, atrapalhando o seu trabalho. Eu fiquei furiosa. E tinha o direito de estar furiosa. Levantei a voz e disse: "Você só pode estar de brincadeira comigo! Você não teve a decência de me pedir desculpas pelo atraso e ainda diz que eu atrapalhei o seu trabalho cobrando o que me é devido?" Pronto. Foi o suficiente para dar lugar ao *gaslighting*. Ele assumiu um tom perplexo e sarcástico e disse: "Meu Deus, que agressividade! Sei que ninguém está bem durante a pandemia, mas você está realmente muito desequilibrada."

Reparem no mecanismo. Ele atrasa o pagamento. Eu cobro uma, duas, três vezes. Ele não dá retorno. Eu tento ligar. Ele demora para aparecer e quando aparece diz que eu atrapalhei o seu trabalho. Eu fico irada pelo desrespeito e pelo descumprimento de uma obrigação contratual. Ele diz que eu estou desequilibrada. Em resumo: ele me acusa de falta de saúde mental quando na realidade só estou brava, como qualquer homem ficaria bravo por não receber seu dinheiro, sem nunca ser chamado de desequilibrado por isso. Assim, ele esvazia a legitimidade da minha cobrança, afirmando que o que gerou meu comportamento foi um desequilíbrio meu, e não uma lesão ao meu direito, causada por ele.

O *gaslighting* acontece no trabalho, em casa, na rua, no supermercado, na fila do banco, em qualquer lugar. Mulheres zangadas são sempre rotuladas de malucas, antes de qualquer análise sobre seu direito de perder a paciência. O termo *gaslighting* vem do filme *Gaslight*, de 1944, com Ingrid Bergman, traduzido para o português como À *meia-luz*. No filme, a protagonista vai sendo, aos poucos, convencida por seu marido de estar enlouquecendo. Na verdade, ele pretendia que ela, que era herdeira de uma fortuna, se julgasse inapta para administrar seu próprio patrimônio, cabendo a ele a gestão dos bens.

Um dos principais problemas do *gaslighting* é que, de tanto ouvir que estão malucas – do companheiro, do chefe, do filho, do colega de trabalho, do desconhecido com quem se tem uma discussão no trânsito –, mulheres começam a se perguntar se estão efetivamente malucas. E, às vezes, decidem fazer um chá de camomila para acalmar. Depois tomam Maracugina. Depois vão para outros tipos de calmante. Quando percebem, já estão se automedicando para um suposto desequilíbrio não diagnosticado, calando manifestações que, em geral, deveriam continuar sendo feitas.

Bropriating e *hepeating*

Bropriating vem do inglês *bro* (de *brother*, uma forma de designar um cara qualquer) + *appropriating*, ou "se apropriando". Ou seja, um cara se apropriando de algo que não é dele. Nesse caso, o "algo" é uma ideia. O *bropriating* é o ato de um homem, em geral no ambiente profissional, se apropriar da ideia de uma mulher sem lhe dar os devidos créditos.

Essa situação ocorre com frequência (embora não exclusivamente) quando uma mulher tem um chefe homem, que ouve uma ideia sua e depois passa a veiculá-la como sendo dele. Pode parecer algo que não acontece muito, mas queixas desse tipo são cada vez mais constantes.

Na minha área, o Direito, há inúmeros casos de mulheres que, trabalhando em escritórios de advocacia, dão sugestões para soluções de questões jurídicas em reuniões internas e depois veem suas ideias apresentadas aos clientes sem os devidos créditos. Consequentemente, não são elas que recebem os elogios (e outras bonificações) quando a solução é eficaz.

Muitas vezes o *bropriating* deriva de uma situação de *manterrupting*. Imaginemos aquela situação dos advogados: uma reunião interna da equipe, em que se busca a solução para um caso complexo. Uma advogada diz: "Deveríamos entrar com uma ação rescisória, pois a sentenç...", quando subitamente é interrompida pelo chefe, que diz: "Entramos com uma rescisória, argumentando que a sentença foi baseada em uma prova falsa, exigindo uma nova análise do caso." E assim o caso se desenrola, com essa ideia que passa a ser do chefe, e não da advogada.

O termo *hepeating*, criado recentemente, designa situações nas quais um homem (*he*) repete (*repeating*) algo dito por uma mulher, como se fosse o primeiro a dizer, exatamente como no caso que narramos. *Hepeating* e *bropriating* costumam andar de mãos dadas.

Boas ideias geram reconhecimento, promoções, bônus, novas oportunidades. Um trabalho verdadeiramente ético passa pela necessidade de deixar muito claro de quem foram as ideias, seja perante a equipe, os chefes ou o cliente. Se a ideia foi da sua colega, dê os créditos a ela. Se você é mulher e a ideia foi sua, mas isso não ficou claro, lute por esse esclarecimento antes que seja tarde demais.

De nada adianta falarmos em desconstrução do machismo se não falarmos numa mudança de olhar acerca das vozes femininas. Enquanto nós não soubermos ter tanto respeito por uma fala/queixa/observação/reclamação feminina quanto temos por uma masculina, continuaremos sendo responsáveis pela manutenção da sociedade patriarcal.

Rebecca Solnit afirma que são necessárias três coisas para se ter uma voz: audibilidade, credibilidade e relevância.[12] É preciso que as pessoas ouçam (audibilidade), mas de nada adianta ouvirem se não estiverem dispostas a acreditar no que você diz (credibilidade) e a dar importância ao tema (relevância).

Quando uma mulher é assediada sexualmente no trabalho, ela pode conseguir denunciar o fato, fazendo uso da audibilidade. Mas quando a reação à denúncia é "Ah, ela deve estar exagerando" (falta de credibilidade) ou "Ah, mas isso faz parte, homem é assim mesmo" (falta de relevância), percebemos que essa mulher, na realidade, não tem voz. Porque seu discurso simplesmente não serviu para nada, exceto para constrangê-la.

Não ter voz é uma forma gritante de violência. Para ser antimachista é preciso não interromper mulheres. É preciso não presumir ignorância nas mulheres. É preciso respeitar manifestações emocionais de mulheres. É preciso respeitar ideias e discursos de mulheres. Para ser antimachista é preciso levar a voz das mulheres a sério.

Para saber mais sobre este assunto

- 📖 *Clube da luta feminista*, Jessica Bennett
- 📖 *Os homens explicam tudo para mim*, Rebecca Solnit
- 🎬 *À meia-luz*, com Ingrid Bergman (1944)
- 🎬 *Grandes olhos*, com Amy Adams (2018)
- ▶ *Purl*, animação de seis minutos da Pixar (2018)
- ▶ "Que inferno, me deixem falar!", vídeo disponível no canal Ruth Manus (2021)

"Essa aí não é mulher, é travesti."

SEXO BIOLÓGICO, IDENTIDADE DE GÊNERO E ORIENTAÇÃO SEXUAL

Como já dissemos, o machismo e a masculinidade tóxica nunca são incentivadores (e geralmente nem respeitadores) da diversidade. Mais do que isso: eles pregam um certo orgulho da não compreensão da pluralidade de existências. Classificam tudo de forma rasa e maniqueísta: certo e errado, bom e mau.

Aquela minha mesma avó sempre me disse que "o que as pessoas fazem da cintura para baixo não me interessa, só me interessa o que elas dizem e pensam". É uma frase simples e que faz muito sentido. Entretanto, entender o mundo que nos cerca facilita a tarefa de respeitar as diversas formas de existência com as quais convivemos.

※

Sexo biológico não se confunde com identidade de gênero, que, por sua vez, é uma coisa completamente diferente de orientação sexual. Vamos lá. O sexo biológico está atrelado a certas características físicas – mais especificamente, genitais. A identidade de gênero tem a ver com a relação da pessoa com ela mesma, com seu corpo e suas ideias, com a forma como se apresenta ao mundo e como quer que os outros a entendam. A orientação sexual tem a ver com a atração física, emocional e romântica que se tem por outros. Vamos falar sobre cada um desses conceitos.

Sexo biológico

Quando nascemos, os médicos observam os nossos genitais e afirmam: é uma menina ou é um menino. E assim nosso sexo é definido como feminino ou masculino. Trata-se de uma questão biológica. Todavia, algumas pessoas podem nascer com o genital masculino mas ter internamente algum órgão reprodutor feminino, como ovários, por exemplo. Ou seja, além da combinação de cromossomos xx (feminina) e xy (masculina), também pode ocorrer a combinação xxx, xxy ou xyy, resultando em pessoas intersexo, conforme Jaqueline de Jesus ensina em seu artigo "Guia inclusivo dos muitos gêneros".

É importante compreender que ser um indivíduo intersexo não significa ter uma patologia, mas uma característica física menos comum. As pessoas intersexuais podem decidir fazer cirurgias ou não, uma vez que é plenamente possível ter uma vida saudável dessa forma. No entanto, é muito comum que as pessoas que nascem com essa característica sejam submetidas a cirurgias ainda bebês, quando seus pais "escolhem" uma genitália – e, segundo a lógica cis, consequentemente uma identidade de gênero acompanha essa escolha. Não é incomum, nesses casos, que a pessoa nem saiba que nasceu intersexo, ou que venha a descobrir muito mais tarde, o que causa enorme sofrimento.

Vale lembrar também que a antiga denominação "hermafrodita" para pessoas intersexo não é mais usada, sendo considerada pejorativa.

Identidade de gênero

Gênero é uma construção social que não depende do sexo biológico. Quando falamos na ideia de "mulher" ou "homem" não pensamos automaticamente em vaginas e pênis. Pensamos em pessoas, com cortes de cabelos, roupas, sapatos e comportamentos. Nossa imagem de "mulher", por exemplo, é ampla. Pode envolver clichês como cabelos longos, vestidos e flores, assim como pode se relacionar a elementos menos identificados com o feminino, como cabelos curtos, roupas básicas e funcionais e gosto por lutas violentas. Isso é uma construção social. Isso é gênero. A vagina é o sexo.

As pessoas que se identificam com o gênero feminino e têm o sexo feminino, assim como as que se identificam com o gênero masculino e têm o sexo masculino, são denominadas pessoas cisgênero. Elas nasceram com determinado sexo e se identificam com a construção social de gênero daquele mesmo sexo. Vale lembrar que, para alguém ser cisgênero, não é preciso corresponder a todo estereótipo do gênero. Uma mulher pode gostar de cabelos curtos e nunca usar vestido, mas, mesmo assim, sentir-se identificada com o gênero feminino.

Nem todo mundo se sente assim. E, não, isso não é uma opção ou algo que as pessoas escolhem. Elas simplesmente são assim. Há pessoas que nascem com o sexo feminino e desde crianças se identificam com o gênero masculino e vice-versa. Há também outras possibilidades sobre as quais falaremos adiante. E, assim como no caso das pessoas intersexo, precisamos esclarecer que isso não é uma anomalia, é uma simples característica.

Pessoas em que sexo biológico e gênero coincidem são pessoas cisgênero, como dissemos. Pessoas que não vivem essa coincidência são pessoas trans. Costuma-se dizer que o termo "transgênero" é um grande guarda-chuva, que abriga uma série de classificações mais específicas.

Um dos termos mais conhecidos é "transexual", devendo ser especificado como "homem transexual" ou "mulher transexual" (também podendo ser abreviado para "homem trans" ou "mulher trans"). O vereador Thammy Miranda, filho da cantora Gretchen, é um exemplo de homem transexual. A cartunista Laerte é um exemplo de mulher transexual.

Outro exemplo interessante é o do ator Paulo Gustavo, que infelizmente faleceu de covid-19 em 2021. Paulo era um homem cisgênero, ou seja, um homem que se identificava com o gênero masculino. Paralelamente a isso, Paulo era homossexual e casado com outro homem. Como ator, Paulo interpretava diversas personagens, entre elas a querida Dona Hermínia. Para isso, ele se caracterizava como mulher, usando vestidos, maquiagem e bobes no cabelo. Essa interpretação artística em nenhum momento alterava sua identidade de gênero enquanto homem cisgênero. No fim do dia, o ator se descaracterizava, voltando à sua identidade masculina, que em nada se confunde com a sua homoafetividade.

Muitas pessoas se perguntam se só devem usar os termos "homem transexual" e "mulher transexual" quando a pessoa fez uma cirurgia de mudança de sexo. A resposta é não. Não importa se a pessoa é ou não operada – isso é um assunto íntimo que não nos diz respeito. Só importa saber com qual identidade ela se sente confortável. Se a pessoa se identifica como mulher, vamos tratá-la como mulher. Se a pessoa se identifica como homem, vamos tratá-la como homem. Simples assim.

Existe também o termo "travesti", que, na sua essência, não difere da mulher transexual. Ocorre que o termo travesti ainda é muito estigmatizado, por estar associado a uma noção de marginalidade, pobreza e exploração sexual. Rita Von Hunty, em um vídeo no qual explica brilhantemente a sigla LGBTQIA+, pontua que, de modo geral, quando estamos em ambientes mais elitizados, mais ricos e frequentemente mais brancos, o termo "mulher trans" é mais utilizado, e quando estamos em situação de pobreza e marginalização, o termo "travesti" é mais utilizado.

Existe uma luta muito grande pelo respeito às travestis (sempre no feminino: "a travesti" e não "o travesti", já que se trata de uma identidade feminina). Por isso, para hastear essa bandeira de acabar com a marginalização dessas pessoas, algumas mulheres preferem se identificar assim, e não como mulheres transexuais.

Ainda dentro do guarda-chuva transgênero temos as pessoas não binárias, queer ou andróginas, que não se identificam nem com o gênero masculino, nem com o feminino. São aquelas que, frequentemente, se encontram em um espectro de identidades de gênero e orientações sexuais variadas, sem estereotipagem masculina ou feminina. Os cantores Demi Lovato e Sam Smith são exemplos de pessoas que se declaram não binárias. Além dessas classificações, ainda há outras dentro do termo transgênero. O vídeo que mencionei da Rita Von Hunty pode dar boas explicações sobre isso.

Mas a questão principal é: independentemente da classificação, não podemos problematizar a existência de outras pessoas, não importando de que forma elas se sentem confortáveis. Certas vidas são extremamente desafiadoras. O mínimo que podemos fazer é ter respeito por elas.

Orientação sexual

Até agora só falamos sobre identidade de gênero, ou seja, sobre as pessoas perante elas mesmas e em relação ao mundo, definindo suas identidades. Passemos então a falar sobre a orientação sexual, que é a atração física, emocional e romântica que as pessoas sentem pelos outros. Lembremos sempre de falar em "orientação sexual" e não "opção sexual" já que, de fato, não se trata de uma escolha.

Uma coisa importante: o que define nossa orientação sexual não é o nosso sexo, e sim a nossa identidade de gênero. Para mim, por exemplo, isso não muda nada, já que sou uma mulher cisgênero. Mas para uma mulher trans (vamos chamá-la de Ana, para exemplificar), que nasceu com o sexo biológico masculino mas se identifica com o gênero feminino, o que importa para determinar sua orientação sexual é o gênero feminino.

Pessoas heterossexuais se sentem atraídas pelo gênero oposto. Por exemplo, qualquer mulher que se sinta atraída exclusivamente por figuras masculinas é tida como heterossexual. É o meu caso e pode ser o caso da Ana. Mesmo que a Ana tenha nascido com o sexo masculino, o fato de ela se identificar como mulher e ter atração por homens a classifica como heterossexual.

É sempre legal lembrar que a nossa sexualidade não é algo imutável. Consequentemente, nossa orientação sexual também não. Uma pessoa que passou 50 anos se identificando com a heterossexualidade pode perfeitamente, em outra fase da vida, identificar-se com a bissexualidade ou homossexualidade. Isso não quer dizer que ela viveu 50 anos "numa mentira" ou "enganando os demais" (embora assumir certas formas de sexualidade seja um grande desafio numa sociedade conservadora e homofóbica). A sexualidade é mutável.

Pessoas que se sentem atraídas tanto pelo gênero masculino quanto pelo feminino são consideradas bissexuais. Uma pessoa bissexual não está indecisa, ela sabe que sua atração não se limita a um único gênero. Discursos como "mulher que gosta de mulher é porque nunca teve um bom homem" são tão absurdos quanto ignorantes.

Já aqueles que se sentem atraídos por pessoas do mesmo gênero são tidos como homossexuais. Nesse ponto, é interessante falarmos sobre algumas questões terminológicas. Não se fala em "homossexualismo" porque o sufixo "-ismo" designa uma patologia ou doença, mas em "homossexualidade". Alguns doutrinadores preferem o uso da palavra "homoafetividade", para desconectar o conceito de uma hipersexualização dessas pessoas.

Existem também as pessoas assexuais – que não exercem a sexualidade de nenhuma maneira, sentindo-se confortáveis em não ter esse como um tema em suas vidas – e as pansexuais, que se interessam por pessoas em geral, sem limitação de gênero. Ou seja, bissexuais se interessam por figuras masculinas e femininas, enquanto pansexuais podem se interessar pelo masculino, pelo feminino, pelo não binário ou queer, por pessoas que estejam em processo de mudança de sexo. Enfim, de um modo geral, não há fatores excludentes para a atração de uma pessoa pansexual.

Compreender a sigla LGBTQIA+ nos torna mais humanos e empáticos e nos dá uma capacidade muito maior de ter alguma dimensão dos desafios que certas existências enfrentam. Dedicar algum tempo a estudar a diversidade é uma forma de também entender o tamanho dos nossos privilégios.

É interessante pensarmos em quantas vezes ainda ouvimos alguém dizer que "fulano deve ser gay, porque ele é afeminado". Todavia, já sabemos que uma coisa não tem, necessariamente, a ver com a outra. Um homem pode ser afeminado e continuar sendo heterossexual, já que essa é uma questão de expressão do gênero e não de orientação sexual. Assim como um homem pode ter comportamento típico masculino e ser casado com outro homem. Talvez o segredo esteja em abandonarmos nossos rótulos e conclusões precipitadas, estando mais interessados em ouvir do que em formular sentenças que nunca nos foram solicitadas.

Em 2013 o Alto Comissariado da ONU para os Direitos Humanos criou um diretório que trata exclusivamente sobre as questões de identidade de gênero, bem como de homofobia, bifobia e transfobia pelo mundo. O Free & Equal (Livres & Iguais) tem um site (www.unfe.org/pt-pt) bem completo, em português, com respostas a muitas dúvidas que podem surgir para as pessoas que buscam conhecer melhor o tema. Mas sempre gosto de ressaltar: conhecer e compreender as classificações é algo construtivo, mas não devemos tentar entender o que leva cada pessoa à sua identidade de gênero e orientação sexual. Nesse caso não nos cabe entender, nos cabe aceitar.

Desconstruir o machismo é algo que passa por compreender que a sexualidade não é binária, bem como aceitar que não há formas certas e erradas de existir. Para sermos antimachistas, não basta respeitarmos as mulheres cisgênero e heterossexuais. Para não sermos machistas é essencial respeitarmos seres humanos de um modo geral, independentemente de nos identificarmos ou não com suas formas de ser. E não se trata meramente de tolerar, se trata de acolher.

Para saber mais sobre este assunto

- 📖 "Guia inclusivo dos muitos gêneros", artigo de Jaqueline de Jesus incluído no livro *Você já é feminista!*, Helena Bertho e Nana Queiroz (orgs.)

- ▶ "Rita em 5 minutos: LGBTQIA+", vídeo disponível no canal Tempero Drag, de Rita Von Hunty (2018)

- ▶ "LGBTQIA+: parte II", vídeo disponível no canal Tempero Drag, de Rita Von Hunty (2021)

- ▶ "O problema das mulheres nos Jogos Olímpicos", vídeo disponível no canal Átila Iamarino (2021)

- 📺 *Queer Eye*, série original da Netflix com Jonathan Van Ness e outros (2018)

- 📺 *Sex Education*, série original da Netflix com Asa Butterfield (2019)

- 🎙 *POC de Cultura*, com Caio Baptista, Filipe Bortoloto, José Melo e Hilário Júnior

"Nem toda mulher..."

ESTEREÓTIPOS DO FEMININO

Nem toda mulher é delicada. Sonhadora. Ama flores. Chocolates. Batons. Sonha com um príncipe encantado. Ou com a maternidade. Quer casar vestida de noiva. Ama comédias românticas. Gosta de cabelo comprido. Pinta as unhas. Se olha no espelho o tempo todo. Não liga para futebol. Ama comprar roupas. É louca por doces. Usa sapatos de salto alto. Saias. Vestidos.

Colocar as mulheres todas dentro de um molde tão restritivo é algo verdadeiramente sufocante. É um estereótipo reforçado por bonecas estilo Barbie, estipulando qual é o ideal e, consequentemente, nos dizendo que tudo o que foge a essas regras é uma espécie de falha. Se não somos brancas, altas, com cabelos lisos, heterossexuais, sorridentes, silenciosas, com pernas torneadas coroadas por um sapato de salto, parece que já estamos em dívida logo na largada. O mundo nos cobra tudo isso, e o preço de não nos encaixarmos na forma é muito alto.

As campanhas de shoppings e outros centros comerciais para o Dia das Mulheres e para o Dia das Mães é um ótimo exemplo de como esse perfil simplista é explorado. Flores, sapatos, maquiagem, chocolates, eletrodomésticos (falaremos especificamente sobre isso adiante). Onde estão os nossos livros? Onde estão nossas roupas para esporte? Onde estão nossas cervejas e vinhos?

Essas presunções são uma poderosa forma de controle, pois a mulher que se sente em dívida com o padrão se sente em dívida em todas as esferas da sua vida. É como se tivéssemos quase que pedir desculpas por cada uma das nossas características que não satisfaz as expectativas.

Apesar de toda força que esse ideal exerce sobre o inconsciente coletivo, podemos fugir dele, embora nem sempre seja fácil. Quando conhecer uma mulher, olhe para ela como uma página em branco. Deixe que ela se apresente, mostre quem é. Não presuma nada. Talvez ela lute jiu-jítsu. Talvez faça lindos cupcakes. Talvez tenha uma iguana de estimação. Talvez seja apaixonada por Lego. Talvez dance flamenco. Talvez tenha uma fábrica de cerveja artesanal. Talvez seja tudo isso junto. Não seria maravilhoso?

O professor Boaventura de Sousa Santos, em seu livro *A cruel pedagogia do vírus*, afirma que "enquanto houver capitalismo, haverá colonialismo e patriarcado".[13] O autor explica que o funcionamento do capitalismo está condicionado à manutenção desses dois sistemas: a exploração de colônias e ex-colônias (ou a exploração do Sul, de um modo geral) e a exploração das mulheres.

Manter o mecanismo social de submissão e dependência das mulheres frente aos homens é algo que vai além de ideologias. E é exatamente por isso que colocar as mulheres dentro de certos moldes é tão útil para esse sistema. Tudo que é previsível acaba por ser também muito mais facilmente controlável.

A imposição desse padrão intransponível e indivisível (as mulheres adequadas ao perfil belo-floral-delicado-sensível-familiar-frágil) é uma maneira bastante concreta de trabalhar pela não emancipação feminina e, consequentemente, pela manutenção e consolidação do sistema patriarcal.

❧

Outro reflexo do sistema patriarcal e de seu controle sobre a vida das mulheres é a forma como se tornou normal perguntar sobre a vida privada delas. Desde a infância, a mulher se habitua a responder questões absolutamente íntimas, como por exemplo: "Você está namorando? Quando vai casar? Você vai ter filhos? Vai tentar parto normal? Quantos filhos quer ter?"

É preciso repetir mil vezes, fazer outdoors com essa frase, berrar isso aos quatro ventos: PLANEJAMENTO

FAMILIAR NÃO É CONVERSA DE BOTECO. Escrevi isso no meu livro *Mulheres não são chatas, mulheres estão exaustas* e repito aqui: nós só devemos fazer perguntas desse tipo a mulheres com as quais temos relação de intimidade e, ainda assim, apenas quando sentirmos que é oportuno e estivermos em ambiente reservado.

Pode parecer exagero, mas esses temas são extremamente sensíveis. Há muitas mulheres que queriam casar ou ter filhos e não encontram essas oportunidades por diversas razões ao longo da vida. Assim como há muitas mulheres que não desejam nem uma coisa nem outra e que são cobradas e questionadas por isso a vida inteira.

Ninguém chega numa mesa de bar ou numa sala de reunião do escritório e pergunta: "E então, galera, como anda funcionando o intestino de vocês?" Não se faz isso porque sabe-se que esse é um tema de foro íntimo. Então por que fazer isso em relação a um útero ou em relação a coisas psicologicamente tão complexas quanto casamento, separação e maternidade?

Está mais do que na hora de respeitar a vida privada das mulheres. Nem toda mulher quer falar sobre seu útero com estranhos.

❦

Dentro dessa conversa sobre padrões, é fundamental falarmos um pouco sobre o mito da *cool girl*. É algo que existe há muito tempo, mas que ganhou uma teoria recente, se destacando depois da publicação, em 2012, do livro *Garota exemplar*, de Gillian Flynn, que foi adaptado para o cinema em 2014 com Rosamund Pike e Ben Affleck como protagonistas.

Essa teoria fala sobre as garotas ou mulheres tidas pelos homens como *cool*, ou seja, legais, descoladas, divertidas. Curiosamente, essas mulheres não costumam ter nenhum gosto por atividades, comidas ou programas vistos como tipicamente femininos. Suas paixões costumam ser coisas como cerveja, uísque, futebol, lutas, churrasco, *junk food*, carros, motos ou quaisquer outras coisas associadas ao universo masculino.

São mulheres que não problematizam nada, não são complexas, não têm oscilações hormonais. Ao contrário: elas topam tudo, estão sempre entusiasmadas e não entram em discussões emocionais. Mas, acima de todas essas características, elas têm uma que é a mais importante de todas: são extremamente bonitas, magras e sensuais. Geralmente são representadas em filmes por atrizes como Megan Fox, Scarlett Johansson ou Cameron Diaz.

Em suma, basicamente a *cool girl* é um homem dentro do corpo de uma mulher tida como fisicamente fabulosa. Ela não tem interesse em nada associado ao universo feminino – inclusive, frequentemente demonstra desprezo por isso –, mas é muito feminina nas suas formas.

Curiosamente, a *cool girl* é quase sempre produto de um roteiro escrito por um homem.

Outro fator curioso (e que não vale só para a *cool girl*, mas para a sociedade como um todo) é como associamos o ato de gostar de algo "do universo masculino" como uma espécie de upgrade na mulher, assim como se associa o fato de um homem gostar de algo tido como tipicamente feminino (costura, confeitaria, cultivo de flores, etc.) como uma espécie de rebaixamento na sua condição de homem. A questão não é sobre a atividade em si, mas sobre o grupo ao qual ela está associada. Tudo que é masculino costuma contar de forma favorável, já o que é feminino conta de forma desfavorável.

De um modo geral, é uma conta que não fecha: a *cool girl* come bacon, hambúrguer, bebe cerveja e, ainda assim, é magra e sem celulite. A *cool girl* não demonstra sentimentos, não costuma chorar, ser vulnerável, insegura ou ter qualquer atitude de demanda emocional que possa "incomodar" os homens. A *cool girl* frequentemente não quer um compromisso, não fala em filhos e nega toda a pressão social que recai sobre as mulheres, como se isso fosse realmente possível.

O fato é: a *cool girl* é um mito criado por homens, mas que muitas mulheres passam a tentar ser, na prática, sem perceber quão machista e opressivo é esse modelo – e me dói perceber quanto da minha adolescência foi marcado por isso. É óbvio que há mulheres que amam futebol, que adoram *junk food*, que entendem muito de cerveja. Essas áreas não são um domínio exclusivamente masculino. Assim como há muitos homens que entendem de cozinha e de moda, que são assuntos tipicamente tidos como femininos. O problema é como a negação do comportamento feminino padrão, dentro de um corpo bonito de mulher, conseguiu se tornar um elemento de obsessão para homens e mulheres.

※

Homens e mulheres têm o direito de ser o que são. Aquilo que sua natureza, sua história e sua vivência os fizeram ser. O machismo gosta de ditar fórmulas muito típicas e restritivas para ambos os gêneros. Meninas usam rosa, meninos usam azul. Mulheres falam sobre maquiagens e doces, homens falam sobre carros e carne. Essa construção social é insuportável.

Talvez a síntese disso tudo seja a compreensão de que o oposto do machismo é a liberdade – tanto para mulheres quanto para homens. Quanto menos estereotiparmos e presumirmos potenciais comportamentos femininos e masculinos, mais chances teremos de viver de uma forma genuína e feliz.

Para saber mais sobre este assunto

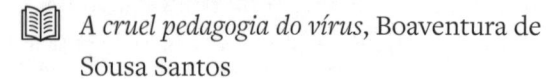

- 📖 *A cruel pedagogia do vírus*, Boaventura de Sousa Santos
- 📖 *Garota exemplar*, Gillian Flynn
- 🎬 *Garota exemplar*, com Rosamund Pike (2014)
- ▶ "The Cool Girl Trope, Explained", vídeo disponível (em inglês) no canal The Take.
- ▶ "Quando vem o bebê?", vídeo disponível no canal Ruth Manus (2021)

"O que as mulheres podem fazer?"

SORORIDADE

Há quem pense que são apenas os homens que precisam mudar de comportamento para desconstruirmos o mundo machista no qual vivemos. Da mesma forma, também há quem pense que o machismo é um problema apenas para as mulheres.

Tanto uma coisa quanto a outra são de responsabilidade e interesse de homens e de mulheres. Assim como um mundo sem machismo também é melhor para os homens, muitos comportamentos femininos também precisam ser repensados para que todos possamos viver melhor.

Como escrevi no início do livro, nós somos os peixes e o machismo é a água do aquário. Não tem jeito, todos sofremos essa lavagem cerebral que a sociedade patriarcal nos proporciona. Homens e mulheres. A questão é: não basta apontarmos os tópicos nos quais os homens estão errando. Precisamos fazer um cuidadoso trabalho de autocrítica para perceber onde nós, mulheres, estamos errando também.

Na edição de 2020 do reality show *Big Brother Brasil*, uma das participantes, a cantora Manu Gavassi, falou certo dia sobre o significado de sororidade. Imediatamente, as buscas pelo termo dispararam no Google Brasil. De fato, ainda precisamos conhecer melhor esse conceito tão importante.

Sororidade, basicamente, é a ideia de que mulheres devem apoiar outras mulheres, dar suporte umas às outras, em vez de competir ou julgar. O termo surgiu como contraponto ao conceito de fraternidade, já que *frater* quer dizer "irmão" em latim e *soror* quer dizer "irmã".

Embora hoje em dia, no dicionário, a palavra "fraternidade" seja definida como uma forma ampla de amor ao próximo, é interessante destacar que esse termo foi muito usado na Revolução Francesa, cujo lema era "liberdade, igualdade, fraternidade", com uma conotação diferente. Nesse lema não estavam propriamente incluídas as mulheres – basta conhecer a história de Olympe de Gouges, mulher que lutou pela revolução mas que, depois de tentar emplacar uma Declaração dos Direitos da Mulher e da Cidadã (tendo em vista que na famosa Declaração dos Direitos do Homem e do Cidadão não havia garantias de direitos para as mulheres), acabou na guilhotina.

Sororidade é, em síntese, a união de mulheres, enquanto grupo vulnerável, invisibilizado e historicamente silenciado. Essa palavra já vem sendo incluída em algumas versões mais recentes de dicionários, junto com palavras como gordofobia, antirracismo, negacionismo e necropolítica, demonstrando que a sociedade evolui em seus conceitos – e a língua portuguesa também.

※

O grande exercício da sororidade é aprender a olhar para outras mulheres como olharíamos para uma irmã. É curioso pensar que os homens no Brasil usam frequentemente os termos "irmão" ou "brother" para falar com outros homens, mas o mesmo não ocorre entre as mulheres – exceto no contexto religioso. Nos Estados Unidos, especialmente dentro da comunidade negra, podemos ver mulheres se chamando de "sister" (como na famosa música "Lady Marmalade", cantada pelo quarteto formado pelas divas Christina Aguilera, Lil' Kim, Mya e Pink, cuja letra diz: *"Hey sister, go sister, soul sister"*), mas no Brasil não temos esse hábito.

O desafio é tratarmos mulheres, mesmo que desconhecidas, como gostaríamos que tratassem as nossas irmãs. Isso nem sempre é uma tarefa fácil, mas é um exercício diário. Certa vez deixei minha irmã e minha sobrinha, que na época tinha 6 meses, no aeroporto para fazerem um voo sozinhas. Lembro de ficar com um aperto no coração quando elas embarcaram e eu já não podia mais ajudá-las. Quem já viajou com um bebê sabe quão desafiador isso é.

Umas semanas depois era eu quem estava no aeroporto. Quando cheguei ao portão de embarque, vi uma mulher sozinha com um bebê e, na hora, lembrei da minha irmã. Quando iniciaram a entrada na aeronave, não tive dúvidas em ir até ela e perguntar se eu poderia ajudá-la com a bagagem de mão e o carrinho. Ela sorriu, aceitou e agradeceu. Fiz por ela o que gostaria que alguém tivesse feito pela minha irmã, quando ela estava sozinha.

Esse precisa ser um exercício constante – e não apenas nos momentos em que mulheres precisam de ajuda, mas também na forma como olhamos umas para as outras, tentando nos livrar do olhar de censura e julgamento que nos ensinam desde cedo a lançar para outras mulheres. E é esse olhar que puxa um outro assunto importante: mulheres não são rivais umas das outras.

Que atire a primeira pedra quem nunca viu uma cena de filme, novela ou série na qual há duas mulheres se estapeando por causa de um homem. É claro que todos nós, homens e mulheres, já vivemos desilusões amorosas, cenas de ciúmes, traições, reencontros desconfortáveis com ex-namorados ou ex-cônjuges. Tudo isso faz parte da vida. Sim, às vezes a gente sente raiva, e isso é normal. Mas precisamos estar atentos ao quão "vendável" se tornou a rivalidade feminina. E isso não ficou só nas telas, uma vez que também há milhares de músicas reforçando a ideia de que mulheres enxergam outras mulheres como "invejosas", "recalcadas" e coisas do gênero.

Não, nós não precisamos gostar de todas as mulheres. Isso é humanamente impossível. Mas podemos nos esforçar, dia após dia, para lembrar que não devemos permanecer nesse lugar que julga, debocha, critica e condena. Nós não somos assim. Olhemos para outras mulheres em busca de pontos de convergência e não em busca de características que não nos agradam.

Sempre me lembro daquela provocação que diz: "Se você estiver andando na rua sozinha, de noite, e ouvir passos se aproximando por trás, o que você mais deseja?" Acredito que a resposta da esmagadora maioria das mulheres seja a mesma que a minha: "Eu desejo me virar e ver que é outra mulher." Essa ideia simboliza muitas coisas. Simboliza o medo que todas as mulheres vivem, simboliza as restrições de vida que vivemos, mas também simboliza a sororidade. De um modo geral, sabemos que podemos presumir que estamos seguras com a presença de outra mulher. E, se naquilo que mais importa é assim, por que no dia a dia agiríamos como se fôssemos rivais?

A noção de sororidade está muito atrelada à nossa capacidade de olhar para mulheres diferentes de nós (ou mesmo mulheres semelhantes a nós, mas que tomam decisões muito diferentes daquelas que nós tomaríamos no lugar delas) e exercitar nossa capacidade de acolher as diferenças, aprendendo com elas.

Essas diferenças podem residir em coisas simples – como uma mulher que prefere se casar e outra que prefere viver em união estável – ou em questões mais complexas – como crenças religiosas e hábitos culturais muito distintos dos nossos. O importante é entender que decisões diferentes das nossas não são erradas. Pode parecer simples, mas esse é um desafio e tanto.

Durante a minha pesquisa de doutorado na Europa em Direito Internacional do Trabalho, fui confrontada muitas vezes com certa incapacidade dos autores europeus de entender que as realidades da América Latina e da África são muito diferentes das deles, e que isso nem sempre é algo a ser corrigido. É claro que há questões de desenvolvimento para as quais a Europa ou os Estados Unidos são fontes de inspiração, mas há temas culturais que são simplesmente diferentes – e isso não deve ser tratado como um problema.

Em *Hibisco roxo*, de Chimamanda Ngozi Adichie (um dos livros mais bonitos que já li), Kambili, a personagem principal, uma adolescente nigeriana, num dado momento é confrontada por uma professora da sua escola, uma freira irlandesa, acerca do hábito dos nigerianos bem-sucedidos de construir casas grandes e chiques na sua cidade natal, onde só passam as férias, em vez de investir esse dinheiro em casas melhores na cidade onde vivem. A freira diz que "não consegue entender". Kambili nada diz, mas depois se pergunta mentalmente o porquê de a freira precisar entender em vez de simplesmente aceitar que aquela é a maneira deles de fazer as coisas.

Cito esse trecho porque ele foi um ponto de virada na minha forma de ver o mundo. Eu dizia muitas vezes, durante a minha pesquisa, que não queria julgar os hábitos de outros países, apenas entender. Todavia, depois de ler isso, me corrigi: eu nem sempre preciso entender, às vezes só preciso aceitar.

Isso é muito importante para solidificar nossa noção de sororidade. Uma mãe que escolha fazer uma cesárea com hora marcada não precisa entender o que leva outra mãe a fazer um parto humanizado, sem anestesia. Ela só precisa aceitar a diferença – e vice-versa. Uma mulher que não queira trabalhar para poder se dedicar integralmente à família não precisa entender o que leva outra mulher a decidir não ter filhos para investir todas as suas energias na carreira. Ela só precisa aceitar que é uma decisão diferente da sua – e vice-versa outra vez.

Julgar as decisões alheias nunca é uma atitude respeitosa. Só que tentar entender tampouco significa respeitar. Muitas vezes, respeitar é não tentar entender e simplesmente aceitar a diversidade (de costumes, opiniões, decisões, vontades) estando confortável com isso.

※

Ainda dentro dessa ideia do respeito à diferença, precisamos falar sobre a famosa "heroína branca" ou "fada sensata". Muitas mulheres, especialmente quando começam a se engajar na causa feminista, adquirem um comportamento de tentar "salvar" mulheres negras, mulheres periféricas, mulheres do Oriente Médio, mulheres indígenas, mulheres trans e tantas outras (mesmo que isso só ocorra através de posts no Instagram).

Embora essa possa ser uma atitude bem-intencionada, é fundamental pensar melhor sobre ela. Mulheres privilegiadas (como é o meu caso) precisam ler e ouvir mulheres em situação de menos privilégio. Não se trata de salvá-las, mas de tentar diminuir os abismos que nos separam, bem como de abrir nossas portas para realidades diferentes das nossas – e também para algumas críticas a nosso respeito.

As boas intenções por trás de uma atitude não podem ser mais importantes do que o impacto que essa atitude gera no outro. Dizer "mas a minha intenção era boa" como justificativa para qualquer coisa é como dizer ao outro: "Enquanto minha intenção for boa, posso fazer o que bem entender, e se as consequências forem ruins, você não pode se aborrecer comigo."

Antes de criticar o uso de burca, vamos ler feministas islâmicas. Antes de falar sobre racismo, vamos ler autoras negras. Antes de levantar a bandeira LGBTQIA+, vamos ouvir o que essas mulheres têm a nos dizer. Antes de entrar nas polêmicas sobre mulheres indígenas, nos interessemos por suas histórias e discursos. Enfim, nós até podemos utilizar nosso lugar de privilégio para tentar promover um mundo mais justo, mas façamos isso ouvindo essas pessoas – e não tentando substituir as suas vozes pelas nossas.

Para saber mais sobre este assunto

- 📖 *Os direitos da mulher e da cidadã por Olímpia de Gouges*, Dalmo de Abreu Dallari
- 📖 *Feminismo em comum*, Marcia Tiburi
- 📖 *Quem tem medo do feminismo negro?*, Djamila Ribeiro
- 📖 *Eu, travesti: Memórias de Luísa Marilac*, Nana Queiroz e Luísa Marilac
- 📖 *O feminismo é para todo mundo*, bell hooks
- 📖 *Nasci num harém*, Fatima Mernissi
- 📖 *Contra o feminismo branco*, Rafia Zakaria
- 🎬 *Estrelas além do tempo*, com Taraji P. Henson, Janelle Monáe e Octavia Spencer (2016)
- 📺 *Big Little Lies*, série original da HBO com Nicole Kidman e Reese Witherspoon (2017)
- 📺 *Hacks*, série original da HBO com Jean Smart e Hannah Einbinder (2021)

"Se fosse mulher feia tava tudo certo, mulher bonita mexe com meu coração."

DITADURA DA BELEZA

Eu gosto muito do trabalho do Seu Jorge, mas vocês já repararam com calma na letra dessa música?*
Ela abrange uma série de assuntos pelos quais passamos (ou passaremos) neste livro, como a banalização da infidelidade masculina, a noção de que nos homens "a carne é fraca", justificando comportamentos injustificáveis, e, como vemos aqui, essa constante classificação de

---

* Ela é amiga da minha mulher/ Pois é, pois é/ Mas vive dando em cima de mim/ Enfim, enfim/ Ainda por cima é uma tremenda gata/ Pra piorar a minha situação/ Se fosse mulher feia tava tudo certo/ Mulher bonita mexe com meu coração (...)/ Não pego, eu pego/ Não pego, eu pego/ Não pego não/ (...) Minha mulher me perguntou até/ Qual é, qual é/ Eu respondi que não tô nem aí/ Menti, menti/ De vez em quando eu fico admirando/ É muita areia pro meu caminhão/ Se fosse mulher feia tava tudo certo/ Mulher bonita mexe com meu coração (...)/ O meu cunhado já me avisou/ Que se eu der mole ele vai me entregar/ A minha sogra me orientou/ Isso não tá certo, é melhor parar/ Falei, ela não quis ouvir/ Pedi, ela não respeitou/ Eu juro a carne é fraca/ Mas nunca rolou.

mulheres entre as que são supostamente feias e as que são supostamente bonitas.

Mas, afinal, qual é o problema de classificarmos mulheres entre aquelas que são mais belas e aquelas que são menos belas? Isso é errado? Bom, comecemos pelo começo, nos fazendo algumas perguntas simples. Qual é o conceito de beleza que temos? Estamos falando de um conceito livre, do que é beleza para cada um de nós, ou estamos simplesmente falando de padrões estéticos, estritos e repetitivos, que nunca paramos para questionar?

A clássica modelo dos desfiles de moda, muito alta, muito magra, com cabelos muito longos – em geral claros e lisos –, com seus olhos – igualmente claros – cobertos por uma intensa camada de maquiagem, desfilando com saltos muito altos representa um conceito universal de beleza ou representa a violenta força dos padrões estéticos que nos dominam?

Naomi Wolf explica que o chamado "mito da beleza" é uma ferramenta muito eficaz de manutenção do sistema patriarcal.[14] Se passearmos pela história perceberemos facilmente que várias sociedades antigas cultuavam referências femininas muito diversas (vide o povo padaung, para o qual os seios muito caídos eram uma importante referência de beleza, ou até mesmo a cultura ocidental nos tempos do Renascimento, que tinha mulheres "roliças" como padrão de beleza, como podemos ver em muitas pinturas da época), em contraposição com o "sistema global" de beleza que vemos hoje. Não há grandes variações no que significaria ser "uma mulher bonita" ao redor do globo. Não há margem de manobra para nenhuma de nós, e isso acaba escravizando todas as mulheres na busca por uma imagem que frequentemente está muito distante da nossa realidade.

A autora estadunidense ainda explica que quando os homens atribuem valor às mulheres numa hierarquia vertical ("essa é mais bonita que aquela, que é mais bonita que aquela outra"), eles estão provocando automaticamente uma competição entre elas. Mulheres competindo entre si são o oposto da sororidade, e essa desunião gera um enfraquecimento do seu processo de emancipação. Assim, podemos dizer que a existência dos padrões de beleza contribui significativamente para a preservação do patriarcado.

Mas é preciso lembrar que essa competição não traz apenas danos sociais. A pressão para alcançar essa tal beleza padronizada faz com que as mulheres vivam em busca de recursos comercializados por uma indústria extremamente valiosa. Mulheres que têm constantes preocupações com a própria imagem, sentindo-se sempre aquém daquilo que a sociedade espera delas, são especialmente lucrativas para esse mercado, que vai do suco detox à cirurgia plástica, passando pelo xampu, pelos sapatos, pelo antirrugas, pelo chá que reduz o inchaço, pela cinta modeladora, pelos cremes bronzeadores, pelas cápsulas de colágeno e pelos esmaltes de longa duração.

Trata-se de um mecanismo de poder que limita as mulheres por dois ângulos distintos. Primeiro, o ângulo comportamental, pois não se trata apenas da aparência, mas de todo um comportamento de valorização do cuidado com a aparência – que vai desde usar maquiagem até sentar com as pernas cruzadas – sob pena de ser tachada de desleixada, masculinizada ou ainda, pura e simplesmente, "feia". E, segundo, pelo ângulo econômico, já que o reforço dos padrões estéticos gera nas mulheres uma necessidade de consumo que interessa a uma indústria milionária.

❦

Não é difícil perceber como há dois pesos e duas medidas quando falamos de estética masculina e feminina. Quantas vezes ouvimos alguém dizer que um homem "não é bonito, mas é muito charmoso", colocando sua imagem num local secundário, dando importância maior a outras questões? Essa mesma frase não é dita quase nunca quando se trata de uma mulher. O padrão é muitíssimo mais restrito. A famosa "barriguinha" pode ser vista como charme no homem, mas será sempre vista como descaso no corpo da mulher. Os pelos são naturais e até bem-vindos no homem, mas são absolutamente condenáveis no corpo feminino.

A ansiedade que se cria nas mulheres acerca das questões estéticas é algo brutal e violento. Começa cada vez mais cedo e termina cada vez mais tarde. Meninas de 2 anos já são bombardeadas com frases do tipo "Mas você é muito bonita", "Que lindo o seu vestido", "Não tire o laço do seu cabelo, você fica linda". Tudo isso fica registrado. Meninas aprendem logo que seu valor enquanto indivíduo está intrinsecamente ligado à sua imagem estética. Enquanto isso, meninos estão sendo elogiados por correrem muito rápido, por chutarem a bola bem forte, por subirem alto nas árvores. A delimitação dos universos feminino e masculino começa aí.

Não é viável que a emancipação das mulheres ocorra no campo do trabalho, por exemplo, se não abalarmos esse tipo de estrutura também. A energia mental e física, bem como o tempo, que gastamos com cabelo, corpo, maquiagem, sapato, bolsa, brinco, etc. são o mesmo tempo e energia que temos para gastar com carreira, formação, estudo. A conta não fecha. Se continuarmos reproduzindo padrões estéticos imperativos e restritivos, nunca estaremos dando real abertura para a igualdade de gênero.

Dentre as coisas que são aceitáveis nos homens e condenáveis nas mulheres, uma merece destaque especial: os cabelos brancos, um símbolo muito claro do processo de envelhecimento. E nesse assunto mora outro enorme problema que precisamos enfrentar se quisermos nos tornar pessoas menos machistas.

O envelhecimento, no homem, é visto como amadurecimento, enquanto nas mulheres, falemos a verdade, é visto como um processo de apodrecimento. E eu não uso essa palavra forte por acaso. Quando uma fruta se torna madura, ela é bem-vinda e desejada. Quando uma fruta se torna podre, ela vai para o lixo.

Ninguém está dizendo que envelhecer seja fácil para os homens. Pelo contrário, a nossa sociedade machista é muito cruel com os homens nesse processo (basta pensar em quantas piadas sobre Viagra você já ouviu). Mas, de modo geral, o "cinquentão", com seus cabelos grisalhos, é um homem bastante valorizado. Assim como muitos professores universitários na casa dos 70 anos são vistos como fontes de sabedoria e maturidade.

Podemos dizer o mesmo sobre uma mulher de 50 anos que assuma os cabelos brancos? Ou sobre a professora de 70 anos? Ou será que nesses casos já entramos no processo de descarte? Há, de fato, uma sensação de que os anos fazem bem aos homens e mal às mulheres. Por isso: amadurecimento *versus* apodrecimento.

Quando aplaudimos mulheres que "seguem lindas"

depois dos 60, estamos, quase sempre, aplaudindo mulheres que têm 60 mas parecem ter parado de envelhecer, no máximo, aos 40 anos. Não há espaço para as rugas ou para qualquer outra consequência dos anos. Só há espaço para valorizar o botox não aparente, a plástica muito bem feita, a tintura que fica natural.

O recente processo de muitas mulheres passarem a assumir seus cabelos brancos, em vez de se escravizarem com horas e horas de cabeleireiro (além dos altos gastos financeiros que confirmam o que mencionamos anteriormente), resume bem o que estamos debatendo. A resistência a essa "alforria" começa dentro de casa: o marido, os filhos, os netos. Muitos deles se queixam das mulheres que optam, de forma corajosa, por deixar seus fios brancos aparentes, geralmente dizendo que assim elas parecem mais velhas. E daí? Até quando teremos que fingir ter uma idade que não temos? Não ter o direito de envelhecer em paz é uma violência cotidiana contra as mulheres.

A classificação de mulheres nesse padrão dicotômico – bonitas e feias, magras e gordas, altas e baixas, moças e velhas – gera em todas nós uma ansiedade incessante sobre a nossa própria imagem. Isso começa na infância e se prolonga pela vida toda.

Essa ansiedade e toda a preocupação que decorre dela frequentemente se convertem em doenças. Anorexia e bulimia são bons exemplos. Crises de ansiedade e quadros de depressão em mulheres muitas vezes estão associados a questões de baixa autoestima. Muitas mulheres morrem em mesas de cirurgias estéticas. Há danos irreparáveis na vida de milhões de mulheres por conta de tudo isso.

Uma parte significativa da desconstrução do nosso machismo consiste na desconstrução desses padrões cruéis e inibitórios. Enquanto nos julgarmos no direito de analisar e classificar cada uma das mulheres com as quais cruzamos no dia a dia (porque, sim, todas nós sabemos perfeitamente quando estamos sendo analisadas), estaremos, sim, contribuindo para vidas menos livres, menos felizes e menos saudáveis.

Para saber mais sobre este assunto

- 📖 *O mito da beleza*, Naomi Wolf
- 📖 *Mulheres da minha alma*, Isabel Allende
- 📖 *Mulheres imperfeitas*, Carina Chocano
- 📖 *A gorda*, Isabela Figueiredo
- 🎬 *O amor é cego*, com Gwyneth Paltrow e Jack Black (2001)
- 🎬 *Pequena Miss Sunshine*, com Abigail Breslin e Alan Arkin (2006)
- 🎬 *Preciosa*, com Gabourey Sidibee e Mariah Carey (2009)
- 🎬 *O mínimo para viver*, com Lilly Collins (2017)
- ▶ "O dia em que eu vestir aquela calça...", vídeo disponível no canal Ruth Manus (2021)

"Mas eu ajudo muito nas tarefas da casa."

CARGA MENTAL E DIVISÃO DE TAREFAS

Em tempos nos quais homens e mulheres trabalham fora de casa, não faz nenhum sentido afirmar que a responsabilidade pela casa é da mulher e a participação masculina nesse cenário é um tipo de favor. Entretanto, frases como "Meu marido é ótimo, ele ajuda muito com as tarefas de casa" mostram que é exatamente isso que acontece. Quando uma mulher usa o verbo "ajudar" nesse contexto, ela está assumindo a tarefa como dela e afirmando que a colaboração de outras pessoas é um favor. Para desviar desse caminho verdadeiramente perigoso, é fundamental tirarmos o verbo "ajudar" do nosso vocabulário quando o assunto é a gestão doméstica.

Qual a solução, então?

Mudar a mentalidade e, por consequência, a expressão.

O marido (ou namorado, ou filho, ou pai, ou irmão, ou neto) não "ajuda". Ele "faz a parte dele".

Reparem como essa simples mudança na forma de falar já reflete e reforça uma mudança na nossa forma de ver as coisas.

Ah, e a parte sobre o marido ser "ótimo" também tem que ser revista, né? Já está na hora de pararmos de parabenizar homens que fazem o mínimo esperado de um adulto funcional: limpar, lavar, dobrar, guardar, preparar um espaguete. Homens que fazem isso não são heróis. Repito: são meros adultos funcionais. O básico segue sendo o básico. E os homens precisam ser os primeiros a reconhecer isso.

⁂

O Brasil é o país com maior número de empregadas domésticas no mundo. E isso não é um problema. Há milhões de profissionais capacitadas para essas tarefas, que são relevantes e essenciais, e há milhões de famílias dispostas a contratar esse tipo de serviço. O que é, sim, um problema é a memória escravocrata brasileira, que faz com que muita gente trate esse tipo de profissional com desprezo, sem cordialidade e sem cumprir seus direitos básicos como registro em carteira, limitação de jornada de trabalho, férias e décimo terceiro salário.

Essa dependência das famílias brasileiras em relação ao trabalho das empregadas domésticas deve nos fazer atentar para uma coisa. Não me canso de reproduzir a fala da professora italiana Giulia Manera num congresso de Ciências Sociais na USP: "A mulher não foi emancipada, ela foi requisitada pelo capital." E, por isso, as tarefas domésticas nunca foram redistribuídas entre homem e mulher dentro de uma mesma casa. Elas foram simplesmente delegadas a outra mulher – frequentemente negra e mais pobre –, que, quando chega em sua própria casa no fim do dia, também encontra as tarefas domésticas à sua espera.

Tendo isso em vista, não é difícil entender o que aconteceu em muitos lares brasileiros nos primeiros momentos da pandemia de covid-19. Quando as empregadas domésticas deixaram, durante um período, de trabalhar, as mulheres descobriram que as tarefas domésticas continuavam sendo vistas como incumbência delas, mesmo que tivessem um emprego tão exigente quanto o do seu cônjuge. Há exceções? Há. Mas precisamos falar sobre a regra.

Por mais que alguns homens cooperem (co-operar, operar juntamente – e não "ajudar"), a gestão doméstica, o cuidado com os filhos, a limpeza, as compras, a lavagem das roupas e tantas outras tarefas seguem sendo vistas como atividades a serem encabeçadas pelas mulheres. Ou seja: elas, na realidade, não foram emancipadas. O que havia era outra mulher fazendo esse trabalho no lugar delas. Mas assim que a empregada doméstica sai de cena, a mulher da casa redescobre o seu lugar histórico.

O número recorde de divórcios atingido durante a pandemia[15] pode ser explicado, em parte, por esse fenômeno. Quando homens não entendem ou não aceitam a importância da partilha 50-50 dentro de casa, milhares de mulheres começam a ver uma perda de sentido no casamento. A sobrecarga gera cansaço, irritação e, obviamente, uma grande sensação de injustiça, que se reflete inevitavelmente nas relações conjugais.

Destaco ainda outro tema relevante dentro desse assunto das tarefas domésticas, chamado "carga mental". Em ambientes nos quais há a preciosa ajuda de uma empregada doméstica, por vezes as pessoas (em geral homens) se esquecem de que há alguém coordenando o trabalho dessa profissional – e que isso consome um tempo significativo dos dias de quem o faz.

Existe alguém que faz as compras no supermercado, que se lembra de descongelar o frango na véspera do preparo, que coloca o feijão de molho antes de dormir, que informa a empregada se é dia de lavar a roupa clara ou a roupa escura, que avisa se é ou não para trocar a roupa de cama e para colocar as toalhas de banho para lavar.

Existe alguém que pensa se o jantar será sopa de legumes ou carne de panela, que lembra que o espinafre está ficando murcho na geladeira e talvez seja melhor transformá-lo em creme de espinafre antes que tenha que ir para o lixo, que avisa que é dia de limpar a geladeira, de aspirar os tapetes, de regar as plantas ou de passar as camisas.

Existe alguém que está trabalhando fora mas está pensando se há saco de lixo e se as batatas serão suficientes para o purê. Existe alguém cujo trabalho é interrompido várias vezes por dia para ligar, mandar mensagem, pedir entrega no aplicativo. Ter ajuda de uma empregada doméstica é uma coisa maravilhosa. Mas isso não quer dizer que ela trabalhe sozinha.

Lembremos também que é fundamental incluir as crianças na execução das tarefas domésticas, desde pequenas. Caso contrário, estamos criando pessoas disfuncionais que, no futuro, reproduzirão esses comportamentos machistas que contribuem com a sobrecarga de milhões de mulheres.

Mas é essencial lembrar: meninas e meninos devem ser incluídos nisso exatamente na mesma intensidade. Em quantos lares ainda vemos filhas se levantarem para tirar a mesa com a mãe e filhos permanecerem sentados junto com o pai? Dados estatísticos revelam que no Brasil 81,4% das meninas entre 6 e 14 anos arrumam a própria cama, enquanto (pasmem) apenas 11,6% dos meninos fazem o mesmo.[16]

Nós precisamos ser capazes de criar meninas e meninos que sejam futuros companheiros saudáveis para as pessoas com as quais viverão – e também para viverem sozinhos. A cultura brasileira de delegar praticamente tudo a uma empregada doméstica acaba por ser uma via muito perigosa para criar pessoas inábeis para a vida cotidiana.

Podemos transformar as atividades domésticas em brincadeiras para as crianças. Testei essa tática com minha ex-enteada, dizendo para ela que ia colocar o cronômetro para ver quanto tempo ela levava para arrumar sua cama ("Mas tem que ser direitinho, não adianta correr e ficar uma porcaria!"), guardar seus brinquedos e seus sapatos. Ela passou a amar o desafio. Sempre me pedia para colocar o cronômetro e tentar bater seu próprio recorde. Arrumar o quarto virou uma brincadeira desejada e suas técnicas de fazer a cama se tornaram cada vez mais apuradas. Pequenas mudanças na forma de lidar com as tarefas podem fazer grandes diferenças.

Falamos dos filhos, mas falemos também das mães. Há alguns anos, escrevi uma coluna no *Estadão* sobre uma música da Jennifer Lopez chamada "Ain't your mama" – em bom português, "Não sou sua mãe". A letra diz mais ou menos o seguinte:

> Eu não vou ficar cozinhando o dia todo
> Não sou sua mãe
> Não vou ficar lavando suas roupas
> Não sou sua mãe
> Não sou sua mãe
> Garoto, eu não sou sua mãe

Temos um problema aqui, não é mesmo? Quando a J.Lo coloca as coisas dessa forma, ela está afirmando que as tarefas domésticas são coisa de mulher – e não coisa da família. E mais: ela está se afirmando como mulher independente colocando peso nos ombros de outra mulher (a mãe do sujeito, no caso). Esclareço mais uma vez: essa não é uma crítica direta à cantora. Ela só caiu numa cilada na qual muitos de nós poderíamos cair.

Quando dizemos "Tá pensando que eu sou sua mãe?" para alguém, estamos dizendo que mães são sempre as responsáveis pela roupa, comida, limpeza, organização, tudo. Estamos, sim, reforçando um ideal bem machista e bem inadequado ao século XXI. Algo semelhante acontece com a frase "Está pensando que eu sou sua empregada?". Reparem que esta também vem sempre no feminino.

E é curioso que existe uma confusão acerca do que significa o ato de cuidar. Cuidar é sinônimo de executar tarefas domésticas? Ou o cuidado é outra coisa?

O título de "cuidador", dado aos pais ou a quem crie a criança, não deveria se confundir com as tarefas de lavar, passar e cozinhar – são coisas diferentes.

Como eu mesma escrevi no jornal naquela ocasião: para piorar, a letra insiste em dizer "Eu sou boa demais para isso", mais uma vez referindo-se a tais tarefas. Ninguém deveria se julgar bom demais para fazer tarefas domésticas. Elas são das coisas mais importantes que temos para fazer, homens e mulheres, pais e mães, filhos e filhas.

Não adianta nada andar num carrão e dormir com a cara numa fronha suja. Não adianta ter roupas de marca se elas não forem lavadas direito. Tarefas domésticas são importantes, honradas e não são coisas só da mãe ou da empregada de alguém. São coisas de todos nós, que esperamos poder ser considerados como os tais "adultos funcionais".

Para saber mais sobre este assunto

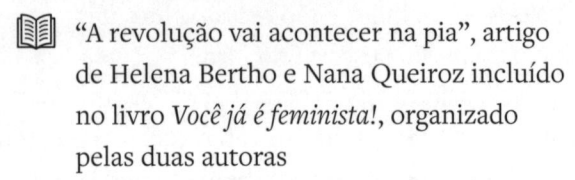

- 📖 "A revolução vai acontecer na pia", artigo de Helena Bertho e Nana Queiroz incluído no livro *Você já é feminista!*, organizado pelas duas autoras
- 📖 *Eu, empregada doméstica: A senzala moderna é o quartinho da empregada*, Preta Rara
- 📖 *A carga mental e outras desigualdades invisíveis*, Emma
- 🎬 *Não sei como ela consegue*, com Sarah Jessica Parker (2011)
- 🎬 *Que horas ela volta?*, com Regina Casé (2015)

"O que podem fazer os pais de meninas? E os pais de meninos?"

PARENTALIDADE ANTIMACHISTA

Eu confesso que me incomodo bastante com a ideia de as pessoas só passarem a se preocupar com as questões de gênero quando elas são transferidas para seu âmbito doméstico. Não espero que a opressão dos homens pelo machismo seja reduzida só porque ela atinge meu pai, meu irmão, meus amigos, mas porque entendo que teremos um mundo melhor para todos – homens e mulheres, em todos os cantos do mundo – quando tivermos uma sociedade menos machista.

Todavia, mesmo que eu pense assim, devo admitir que sinto algum alívio quando os homens, ao descobrir que serão pais de meninas, começam a se interessar pelas questões relativas ao machismo e ao feminismo. Digo sempre a eles que espero que essa seja uma porta de entrada para um universo maior. Ou seja: a partir do olhar para a filha, compreender a existência de um problema social global – e nunca tratar um problema social global como algo que só interessa porque pode atingir sua filha.

Dito isso, comecemos uma conversa sobre os tantos tropeços que pais, mães e outros cuidadores de meninos e meninas cometem, não por culpa exclusiva deles, mas porque todos nós somos vítimas – conscientes ou não – de um sistema que reprime as meninas desde que ainda estão no ventre da mãe e que, de uma outra maneira, também pressiona os meninos mesmo antes do nascimento.

As "brincadeiras" começam cedo. Basta que um homem descubra que vai ser pai de uma menina para frases como "Minha filha vai ser freira" ou "Só vai namorar depois dos 30" começarem a ser ditas. O nível pode cair para coisas como "Já vou comprar uma espingarda" ou para o inaceitável "Deixei de ser consumidor para me tornar fornecedor". Dá para perceber como é grave?

Essas frases, mesmo que ditas em tom de brincadeira, são ouvidas pelas meninas desde muito cedo, e com o tempo isso acaba por moldar o comportamento de muitas mulheres. O tratamento de filhas como propriedade, numa relação norteada pela sensação de posse, é uma realidade histórica que ainda vigora em muitos lares de todo o mundo, por mais que estejamos no século XXI.

Por outro lado, vemos esses mesmos pais tratando

seus filhos meninos de forma diametralmente oposta. A pressão que recai sobre muitos garotos, mesmo que ainda muito pequenos, para serem os garanhões, os namoradores, os que beijam as coleguinhas de escola, também é uma forma de violência contra as crianças, embora ainda se fale muito pouco sobre isso.

Alguns poderão perguntar: então não se pode fazer mais nada? Nem falar que tem ciúme da filha, nem brincar que o filho vai ser um sucesso com as mulheres? Então. O que se pode (e se deve) fazer é tratar crianças como crianças, e tratar as relações entre crianças com a leveza inerente a elas. Crianças não namoram. Crianças são amigas. Brincam. Riem. Brigam por causa de brinquedos. Só isso.

Chega de comentários ciumentos e sexistas para cima das meninas. Chega da constante pressão machista para cima dos meninos. Deixar que adolescentes e adultos vivam suas paixões de forma livre deveria ser algo simples e até prazeroso para quem os ama.

A figura do pai protetor tenta, de forma muito malsucedida, esconder a figura do pai opressor. Não é saudável que, no momento em que filhas se apaixonem e estejam felizes, provavelmente na adolescência, elas tenham que conviver com o medo e a ansiedade de contar essa novidade para o pai. É uma dinâmica tóxica. Nenhum pai deveria querer ser visto pela filha como fonte de opressão e não como fonte de afeto e segurança.

Pulemos o exaustivo papo sobre "meninas usam rosa, meninos usam azul". Essa conversa me parece excessivamente básica e acho que já nem vale mais a pena, sobretudo em tempos de *Frozen*, quando meninas desfilam alegremente seus modelitos azuis. Contudo, precisamos falar sobre a estereotipagem das atividades e brincadeiras de meninas e meninos.

A partir do momento em que os pais de uma criança sabem seu sexo, começam a, de certa forma, colocá-la num molde comportamental. Um exemplo clássico: presumir que meninos gostarão de carros, dinossauros e futebol, enquanto meninas gostarão de bonecas, pelúcias e danças. Todas essas brincadeiras são saudáveis e positivas, mas deveríamos apresentar todo esse universo a eles, independentemente do gênero.

Chimamanda Ngozi Adichie, em seu livro *Para educar crianças feministas* (fundamental, superdidático e curtíssimo), escreve que "se não empregarmos a camisa de força do gênero nas crianças pequenas, daremos a elas espaço para alcançar todo o seu potencial".[17] Simples assim. Quanto mais oferecemos a elas, mais chances elas terão de encontrar identidade, alegria e canais de expressão.

Se pais presumem que suas filhas não gostarão de jogar bola, provavelmente elas nem terão a oportunidade de descobrir essa paixão. Se for assim, como aparecerão as novas Martas para a seleção brasileira? Se uma mãe presume que seu filho não gostará de fazer penteados em seus cabelos, possivelmente ele nunca conhecerá esse prazer. Como aparecerá o próximo Marcos Proença, Romeu Felipe, Celso Kamura? O mundo martela comportamentos padronizados que nós, muitas vezes, aceitamos sem nenhum questionamento.

Se oferecermos às crianças todo um universo (apostar corridas, fazer bolos, subir em árvores, montar uma loja de sapatos em casa, desenhar em conjunto, lutar de brincadeira, brincar de escola, jogar bola, montar um salão de cabeleireiro na sala, andar de skate, entre milhões de outras possibilidades), provavelmente elas agarrarão as brincadeiras sem nem cogitar uma divisão de gênero. Minha paixão por futebol vem muito do fato de que meu pai sempre me incluiu nesse universo, sem pressão, mas com um convite constante.

Carolina Vicentin, em seu artigo "Os brinquedos e os estereótipos que ensinamos a nossos filhos e a nossas filhas", conta que uma escola em Estocolmo, na Suécia, passou a ter como únicos brinquedos materiais completamente desconectados dos estereótipos de gênero, como tecidos, peças de madeira e papéis. Esse movimento gerou muito mais interação entre meninos e meninas e muito menos cisões de gênero.

Um grande tesouro que pais, mães, madrastas, padrastos, tios, avós ou quaisquer outros cuidadores podem oferecer às crianças é esse tal universo mais amplo. Menos amarras, mais possibilidades. Criar conexões com as crianças através de atividades das quais gostamos é uma das grandes chaves para uma convivência feliz.

※

Sempre haverá uma pessoa desinformada o bastante para dizer que seu filho pode virar gay por brincar de boneca. Não custa esclarecer: nenhuma brincadeira conduz criança nenhuma a certa orientação sexual ou distorce sua identidade de gênero. Como dizem por aí, o "pior" que pode acontecer com um menino que brinca de boneca é ele se tornar um bom pai no futuro.

Mas também precisamos falar sobre esse medo de ter um filho ou filha homossexual. Já é hora de nos libertarmos disso, não? Torçamos por filhos felizes, independentemente de qualquer coisa. Alguns dirão que não querem filhos homossexuais por medo de que eles sejam vítimas de preconceito. Embora possamos compreender o sentimento por trás dessa preocupação, temos que lembrar que a orientação sexual não é uma escolha. O que pode acontecer é existirem pessoas que nunca "sairão do armário" por se sentirem inseguras ou por saberem que não serão acolhidas pela família – e isso, sim, é garantia de uma vida infeliz.

Reduzir o machismo na vida das nossas crianças é um processo que também passa por deixarmos claro que nosso amor não está minimamente condicionado pela futura orientação sexual delas. Deixá-las seguras de que as amaremos independentemente de quem elas amarão quando adultas é uma forma muito bonita e justa de se criar alguém.

No meu livro *Mulheres não são chatas, mulheres estão exaustas*, falo sobre como é difícil para as meninas acreditarem que podem ocupar as mesmas posições que os meninos quando, na escola, nossas referências acadêmicas são quase exclusivamente masculinas. De Pitágoras a Bhaskara, de Napoleão a Roosevelt, de Gil Vicente a Guimarães Rosa, esse quadro não consegue ser revertido com doses esparsas de Elizabeth I, Clarice Lispector e Ada Lovelace.

Essa é uma questão que ainda me assombra. A temática da representatividade é relevante e urgente. Como almejar sonhos para os quais não temos referência de alguém como nós que os alcance? Essa é a realidade de muitas meninas. As referências femininas seguem escassas na maioria das áreas profissionais.

Precisamos fazer um esforço constante para mostrar esses exemplos a elas. E reforçar, diariamente, a capacidade delas de fazer coisas importantes. Quantas e quantas vezes dizemos a meninas coisas como "Você é tão bonita" ou "Seu vestido é tão lindo", em vez de dizer coisas como "Você é tão corajosa" ou "Você é tão inteligente"? Não deixemos nossas meninas pensarem que o principal valor delas está na imagem e não na essência.

※

Em resumo: crianças são verdadeiras esponjas. Elas absorvem tudo o que fazemos e dizemos. Não adianta pensar que não estão entendendo ou percebendo as coisas que acontecem ao redor. De alguma maneira, as crianças sempre captam as mensagens que vamos deixando, intencionalmente ou não.

Se os pais de uma criança, no seu dia a dia, tiverem comportamentos machistas ou sexistas, não adianta esperar que ela não reproduza isso no seu cotidiano. Como dizem por aí, "a educação empurra, mas o exemplo arrasta". Não adianta um pai brincar de carrinho com uma filha, para mais tarde ela ouvi-lo dizer no trânsito que as mulheres são todas "barbeiras".

É preciso ter coerência. E não, não é fácil. Todos nós tropeçamos em algum momento. Mas se quisermos ter crianças que vivam num mundo melhor do que este no qual vivemos, teremos que nos esforçar para brincar melhor, para falar coisas melhores, para nos comportar de forma melhor, para amar de forma mais livre e, acima de tudo, para viabilizar existências plurais das nossas crianças, cada uma com seu gosto, sua identidade e seus hábitos, mostrando sempre que somos felizes por elas serem exatamente como são.

Para saber mais sobre este assunto

- 📖 *Para educar crianças feministas*, Chimamanda Ngozi Adichie
- 📖 "Os brinquedos e os estereótipos que ensinamos a nossos filhos e a nossas filhas", artigo de Carolina Vicentin incluído no livro *Você já é feminista!*, de Helena Bertho e Nana Queiroz (orgs.)
- 📖 "Pega lá uma chave de fenda", crônica que está no meu livro *Pega lá uma chave de fenda e outras divagações sobre o amor*.
- 📖 *Criar filhos no século XXI*, Vera Iaconelli
- 📖 *Educação não violenta*, Elisama Santos

COISAS QUE EU GOSTARIA QUE VOCÊ LEVASSE DESTE LIVRO

Eu confesso que tenho muito medo de as pessoas não lerem conclusões de livros. Por isso, decidi levantar alguns tópicos rápidos só para garantir que vocês fiquem comigo até o final dessa conversa, combinado? Prometo ser rápida. Mas nunca prometo que será indolor.

Todos (absolutamente todos) nós temos comportamentos (e pensamentos) machistas que precisamos mudar

Se você leu todas as páginas deste livro e não percebeu nada de machista no seu comportamento cotidiano, sugiro uma nova leitura, com mais atenção e autocrítica. Eu escrevi todas estas páginas e, ainda assim, sei que tenho muito (muito mesmo) para melhorar. Diagnosticar problemas não é o mesmo que chegar a soluções. Um passo por vez.

O que é certo é certo

Não mudemos nossos comportamentos por causa das nossas filhas, sobrinhas, netas, irmãs. Mudemos nossos comportamentos para fazer a coisa certa, para ser um bom exemplo para os demais. Não vamos individualizar uma luta que precisa ser coletiva.

Sejamos exemplo

Isso diz respeito a todos nós, mas faço um apelo especial aos homens: sejam exemplo. Quebrem o ciclo do "homem é assim mesmo" e o ciclo do "é só uma brincadeira". Não sejam mais um a repetir comportamentos e falas machistas e misóginas. Sejam o exemplo. Mudem a dinâmica do grupo.

Saibamos evoluir um pouquinho por dia

Todos temos pressa para melhorar. Todos queremos MUITO PODER dizer, um belo dia: "Eu não sou nada machista." Mas é preciso ter calma. Ninguém destrói milênios de machismo com algumas horas de leitura. Tenhamos calma e, acima de tudo, persistência.

Não esperemos aplausos por desconstruir nosso machismo

Como já dissemos, "o que é certo é certo". Nos comportarmos de uma maneira mais colaborativa para um mundo melhor deve ser algo que basta por si só. E mais uma vez: alô alô, leitores homens! Não esperem aplausos, ok? Combinemos entre nós que lutar contra o machismo que nos habita é um pré-requisito e não um diferencial.

Sejamos os chatos

Sejamos os chatos. Os que não riem da piada machista. Os que dizem "Cara, não faz isso não". Os que alertam os amigos e familiares quando eles dizem coisas que não são legais (e lembrem-se, sempre dá para alertar de forma afetuosa, sem grosseria). Sejamos os chatos que não cantam músicas misóginas, os chatos que compram certas brigas, os chatos que, no fim das contas, mudam o mundo.

Sejamos todos os chatos que mudam o mundo.

AGRADECIMENTOS

Aos homens que me apresentam diariamente masculinidades não truculentas.

Meu pai e seu choro de canto de olho em programas do tipo *The Voice*.

Meu irmão e sua forma de dizer "Isso é lindo demais, cara".

Meu tio Ique e seus detalhes sensíveis na marcenaria, espelhando meu avô.

Mathias e sua total incapacidade de matar um inseto por acreditar que ele tem o mesmo direito de viver que nós.

Luís e sua afetividade desarmada.

Agu e seus olhos brilhando, transparentes, quando entra numa loja de plantas e vasos.

Caetano e sua forma de me olhar com atenção e perguntar "Você tá bem, Ru?".

Gui e seu caderninho de bolso com palavras e versos.

Zé Couto Nogueira e sua capacidade de vibrar com uma bolsa bonita com a mesma empolgação que eu.

Lucas e sua atenção a cada linha escrita nas músicas do Chico.

Fabiano e seus olhos marejados com a beleza do samba.

Lucão e sua atenção a cada ingrediente de um prato.

Meus Tanakas, por serem só amor.

Luiz, por seus sorrisos e danças fora de contexto.

Ao meu amigo Lucas Bulgarelli, pela generosidade de compartilhar seu conhecimento nestas páginas.

Ao Karnal, por sua amizade, seu bom humor e por ser sempre acessível – seja para um vinho, um conselho, uma palavra amiga, uma frase para a quarta capa. Obrigada por sempre me responder quando eu preciso – inclusive usando figurinha dos Teletubbies.

À Nana, por este quarto projeto conjunto, consolidando uma parceria que equilibra riso e seriedade de uma maneira maravilhosa. Por acusar meus excessos de "ou seja", de "não é difícil entender" e de "precisamos". Mas também por desabafar sua extrema angústia com o pacote de 14 almôndegas – "que só são divisíveis por 2 ou por 7, isso não faz sentido nenhum". Por apostar sempre em mim – obrigada, de coração, Nana.

A toda a equipe da Sextante, mais uma vez, por acreditar no meu trabalho e por viabilizar que as ideias cheguem de uma forma tão bonita às pessoas.

BIBLIOGRAFIA

ADICHIE, Chimamanda Ngozi. *Para educar crianças feministas: Um manifesto*. São Paulo: Companhia das Letras, 2017.

_____. *Sejamos todos feministas*. São Paulo: Companhia das Letras, 2015.

AKOTIRENE, Carla. *Interseccionalidade*. Coleção Feminismos Plurais. São Paulo: Jandaíra, 2019.

ALLENDE, Isabel. *Mulheres da minha alma*. Rio de Janeiro: Bertrand Brasil, 2020.

ARAÚJO, Ana Paula. *Abuso: A cultura do estupro no Brasil*. Rio de Janeiro: Globo, 2020.

BEARD, Mary. *Mulheres e poder: Um manifesto*. São Paulo: Crítica, 2018.

BENNETT, Jessica. *Clube da luta feminista: Um manual de sobrevivência (para um ambiente de trabalho machista)*. Rio de Janeiro: Fábrica 231, 2018.

BERNARDI, Tati. *Homem-objeto e outras coisas sobre ser mulher*. São Paulo: Companhia das Letras, 2018.

BERTHO, Helena; QUEIROZ, Nana (orgs.). *Você já é feminista!* São Paulo: Jandaíra, 2020.

BOLA, JJ. *Seja homem: A masculinidade desmascarada*. Porto Alegre: Dublinense, 2020.

CHOCANO, Carina. *Mulheres imperfeitas: Hollywood, cultura

pop e a construção dos falsos estereótipos femininos no mundo moderno. São Paulo: Cultrix, 2020.

COTTA, Mayra; FARAGE, Thais. *Mulher, roupa, trabalho: Como se veste a desigualdade de gênero*. São Paulo: Paralela, 2021.

DALLARI, Dalmo de Abreu. *Os direitos da mulher e da cidadã por Olímpia de Gouges*. São Paulo: Saraiva, 2016.

DIAS, Maria Berenice. *A Lei Maria da Penha na justiça*. Salvador: Juspodivm, 2021.

EMMA. *A carga mental e outras desigualdades invisíveis*. Lisboa: Bertrand, 2019.

FIGUEIREDO, Isabela. *A gorda*. São Paulo: Todavia, 2018.

FLYNN, Gillian. *Garota exemplar*. Rio de Janeiro: Intrínseca, 2013.

GAY, Roxane. *Precisamos falar sobre abuso: Conversas e memórias sobre a cultura do estupro*. Rio de Janeiro: Globo, 2021.

hooks, bell. *O feminismo é para todo mundo: Políticas arrebatadoras*. Rio de Janeiro: Rosa dos Tempos, 2018.

IACONELLI, Vera. *Criar filhos no século XXI*. São Paulo: Contexto, 2019.

JABLONKA, Ivan. *Homens justos: Do patriarcado às novas masculinidades*. São Paulo: Todavia, 2021.

JENAINATI, Cathia; GROVES, Judy. *Feminismo: Um guia gráfico*. Rio de Janeiro: Sextante, 2020.

LERNER, Gerda. *A criação do patriarcado: História da opressão das mulheres pelos homens*. São Paulo: Cultrix, 2020.

LEVY, Tatiana Salem. *Vista chinesa*. São Paulo: Todavia, 2021.

LÓPEZ PEIRÓ, Belén. *Por que você voltava todo verão?* São Paulo: Elefante, 2021.

MANUS, Ruth. *Pega lá uma chave de fenda e outras divagações sobre o amor*. São Paulo: Benvirá, 2015.

_____. *Mulheres não são chatas, mulheres estão exaustas*. Rio de Janeiro: Sextante, 2019.

MARILAC, Luísa; QUEIROZ, Nana. *Eu, travesti: Memórias de Luísa Marilac*. Rio de Janeiro: Record, 2019.

MCCANN, Hanna (org.). *O livro do feminismo*. Rio de Janeiro: Globo, 2019.

MERNISSI, Fatema. *Nasci num harém: As mil noites de Xerazade*. Lisboa: Edições Asa, 2013.

PRETA RARA. *Eu, empregada doméstica: A senzala moderna é o quartinho da empregada*. Belo Horizonte: Letramento, 2019.

RIBEIRO, Djamila. *Quem tem medo do feminismo negro?* São Paulo: Companhia das Letras, 2018.

SÁ, Xico. *Os machões dançaram: Crônicas de amor e sexo em tempos de homens vacilões*. Rio de Janeiro: Record, 2015.

SANTOS, Boaventura de Sousa. *A cruel pedagogia do vírus*. Coleção Pandemia Capital. São Paulo: Boitempo Editorial, 2020.

SANTOS, Elisama. *Educação não violenta: Como estimular autoestima, autonomia, autodisciplina e resiliência em você e nas crianças*. Rio de Janeiro: Paz e Terra, 2019.

SOLNIT, Rebecca. *Recordações da minha inexistência: Memórias*. São Paulo: Companhia das Letras, 2021.

_____. *Os homens explicam tudo para mim*. São Paulo: Cultrix, 2017.

TIBURI, Marcia. *Feminismo em comum: Para todas, todes e todos*. Rio de Janeiro: Rosa dos Tempos, 2018.

VALENTI, Jessica. *Objeto sexual: Memórias de uma feminista*. São Paulo: Cultrix, 2018.

WOLF, Naomi. *O mito da beleza: Como as imagens da beleza são usadas contra as mulheres*. Rio de Janeiro: Rosa dos Tempos, 2018.

WOOLF, Virginia. *As mulheres devem chorar... ou se unir contra a guerra*. Belo Horizonte: Autêntica, 2019.

ZAKARIA, Rafia. *Contra o feminismo branco*. Rio de Janeiro: Intrínseca, 2021.

NOTAS

1 LERNER, Gerda. *A criação do patriarcado: História da opressão das mulheres pelos homens*, p. 28.
2 BOLA, JJ. *Seja homem: A masculinidade desmascarada*, p. 169.
3 WOOLF, Virginia. *As mulheres devem chorar... ou se unir contra a guerra.*
4 <https://gazetadocerrado.com.br/de-interrupcoes-a-xingamentos-80-das-parlamentares-no-congresso-ja-sofreram-violencia-politica/> Acesso em 01/09/2021, às 11h27.
5 Disponível em: <https://unric.org/pt/250-anos-para-eliminar-disparidade-salarial-entre-homens-e-mulheres/> Acesso em 11/06/2021, às 07h07.
6 "A diversidade como alavanca de performance", disponível em: <https://www.mckinsey.com/business-functions/organization/our-insights/delivering-through-diversity/pt-br> Acesso em 25/10/2021, às 17h01.
7 <https://www.correiobraziliense.com.br/brasil/2021/07/4937873-brasil-registra-um-caso-de-feminicidio-a-cada-6-horas-e-meia.html> Acesso em 01/09/2021, às 10h12.
8 <https://forumseguranca.org.br/wp-content/uploads/2020/06/violencia-domestica-covid-19-ed02-v5.pdf> Acesso em 01/09/2021, às 10h15.
9 <https://www.onumulheres.org.br/noticias/violencia-contra-as-mulheres-e-meninas-e-pandemia-invisivel-

-afirma-diretora-executiva-da-onu-mulheres/> Acesso em 25/10/2021, às 17h05.

10 SOLNIT, Rebecca. *Recordações da minha inexistência*, p. 235.

11 Disponível em: <https://www.bbc.com/portuguese/internacional-39161312> Acesso em 07/07/2021, às 09h32.

12 SOLNIT, Rebecca. *Recordações da minha inexistência*, p. 245.

13 SANTOS, Boaventura de Sousa. *A cruel pedagogia do vírus*. São Paulo: Boitempo, 2020 (e-book).

14 WOLF, Naomi. *O mito da beleza*, p. 29.

15 <https://g1.globo.com/sp/sao-paulo/noticia/2021/06/11/divorcios-extrajudiciais-sobem-269percent-entre-janeiro-a-maio-de-2021-e-disparam-na-pandemia-sp-lidera-ranking-nacional.ghtml> Acesso em 08/09/2021, às 14h09.

16 BERTHO, Helena e QUEIROZ, Nana (orgs.). "A revolução vai acontecer na pia", *in Você já é feminista!*, p. 137.

17 ADICHIE, Chimamanda Ngozi. *Para educar crianças feministas*, p. 26.

Para saber mais sobre os títulos e autores da Editora Sextante,
visite o nosso site e siga as nossas redes sociais.
Além de informações sobre os próximos lançamentos,
você terá acesso a conteúdos exclusivos
e poderá participar de promoções e sorteios.

sextante.com.br